Asturias

Dirección editorial: Raquel López Varela

Coordinación editorial: Eva María Fernández

Textos: Luis Díez Tejón

Fotografías: Juanjo Arrojo
Con la colaboración de Roberto Tolín, Imagen MAS, Mara Herrero,
Photobox y el Archivo Everest

Diseño de maqueta: Luis Alonso Vega

Diseño de cubierta: Luis Alonso Vega y Francisco A. Morais

Diagramación: Gerardo Rodera

Traducción: EURO:TEXT

SEGUNDA EDICIÓN
© EDITORIAL EVEREST, S. A.
Carretera León-La Coruña, km 5 - LEÓN
ISBN: 84-241-0288-6
Depósito legal: LE. 52-2006
Printed in Spain - Impreso en España

EDITORIAL EVERGRÁFICAS, S. L.
Carretera León-La Coruña, km 5
LEÓN (España)

Asturias

MONUMENTAL
MYT
TURÍSTICA

Fotografías de Juanjo Arrojo
Textos de Luis Díez Tejón

EVEREST

PRÓLOGO

Hombre de natural recatado y dado a la mesura, muy lejos de las propensiones fatuas tan privativas de otros escritores que azacanean por ser protagonistas constantes e imponerse a toda costa, Luis Díez Tejón es, sin embargo –o gracias a ello–, un autor muy experimentado. Cuenta en su haber con una notable producción que abarca géneros diversos: novela, narración breve, poesía, literatura infantil, ensayo… Y en cada una de estas categorías viene demostrando un admirable dominio del lenguaje y una querencia particular y entrañable hacia los temas asturianos.

Aquí, a lo largo del libro que el lector tiene en sus manos, la prosa clara y madura de Díez Tejón se engrandece, se sensibiliza y, con muy atinada renuncia a las adjetivaciones efectistas y a los lirismos trasnochados –no siempre fácilmente evitables, por cierto–, es capaz de aprehender en muy pocas páginas la esencia y la presencia de este pequeño universo llamado Asturias.

Así, la correlación propiciada por las espléndidas y adecuadas imágenes con que se complementa este libro de Everest, brinda al autor ocasión de establecer una interpretación sencilla, pero clarificadora y certera, de cuanto él mismo ve –y que transmitirá al lector– a través de un recorrido apropiado que Díez Tejón lleva a cabo, sin cargazones eruditas ni digresiones enfáticas, por la piel –y el alma– de Asturias. En consecuencia, queda impecablemente descrito el entorno natural del Principado, desde la arrogante y arriscada montaña al despejado espacio costero, desde el bosque copioso y centenario a los valles verdeantes y los sinuosos ríos que ya no llevan agua a los molinos harineros, pero que continúan trajinando desde los altores al mar…

Se aborda en el volumen, además, un conciso repaso del acontecer histórico de la región, y su autor resuelve muy bien la consabida dificultad de tener que resumir los hechos relativos a varias centurias en un menguado espacio donde han de quedar glosados los avatares cronísticos. El patrimonio artístico-cultural con que en cada etapa de su devenir se fue enriqueciendo Asturias, recibe asimismo el tratamiento debido, como en el caso del arte prerrománico, que constituye un testimonio de gran esplendor y admiración general.

También se considera y se interpreta en esta obra la presencia humana, que en el Principado ofrece algunas particularidades, a veces arbitrariamente invocadas por autores fantasiosos o faltos de escrúpulos, como la que se refiere a los vaqueiros de alzada, a las específicas del campesinado o a las relacionadas con el mundo de la minería. Díez Tejón no omite nada, y así su mirada, llena de perspicacia y agudeza, se va deteniendo sucesivamente en la pluralidad y los matices del paisaje, la consideración de la industria o del sector pesquero, la trascendencia de la pasada emigración, la riqueza gastronómica, la diversidad del folclore… todo cuanto conforma, define y singulariza la tierra asturiana.

No se puede decir más –ni mejor– con tan pocas palabras.

JOSÉ ANTONIO MASES

PROLOGUE

A man of a shy nature and given to moderation, far removed from the fatuous, exclusive tendencies of other writers who strive for constant protagonism and supremacy whatever the cost, Luis Díez Tejón is however, or perhaps thanks to this, a very experienced writer. He has produced a noteworthy collection of works that venture into different genres: novels, short stories, poetry, children's literature, essays, etc. And in each of these categories he has demonstrated an admirable control of language and a particular and charming leaning to Asturian themes.

Here, throughout the book the reader holds in his hands, the clear mature prose of Díez Tejón swells and brims with sensitivity, and, renouncing the use of sensationalist adjectives and overused lyricism, which are, by the way, not easily avoided, he succeeds in apprehending the essence and presence of this tiny universe called Asturias in a few pages.

Thus, the correlation promoted by the appropriately splendid images that complement this book by Everest offers the author the opportunity to put forward his simple but clear and precise interpretation of what he sees and transmits to the reader through an appropriate route Díez Tejón follows, without the use of heavy erudition and emphatic digression, under the skin and soul of Asturias. The result is an impeccable description of the natural surroundings of the Principality, from the arrogance of the craggy mountains to the open space of the coast, from the thick age-old forests to the green valleys and the winding rivers that no longer carry their waters to the flour mills, but which continue toing and froing from the heights to the sea.

The book also offers a concise account of the region's history, and the author successfully deals with the known difficulties involved in summarising facts and events spanning several centuries into a whittled down space. The artistic-cultural heritage with which Asturias was enriched during each stage of its history is also given the treatment it deserves; this is the case with pre-Romanesque art, which constitutes a testimony of great splendour and general admiration.

This work also considers and offers an interpretation of the presence of the human being, which offers certain particularities in the Principality. These particularities are at times called upon by authors who are full of fantasy or void of scruples, such as that which refers to the vaqueiros de alzada, to the peasant farmers or the world of coal mining. Díez Tejón omits nothing, and his keen and perceptive gaze ponders over the plurality and combinations of the landscape, industry or fishing, the transcendence of past emigration, gastronomical wealth, the diverse folklore… everything that shapes, defines and provides the land of Asturias with its unique quality.

So few words could not say more, nor say it better.

JOSÉ ANTONIO MASES

ASTURIAS

INTRODUCCIÓN

A Asturias hay que venir para poder entenderla y gozarla, porque se escapa a la palabra y aun a la imagen. Es cierto que ninguna tierra se deja encerrar fácilmente en el campo de la expresión, pero esta, qué quieren, menos que ninguna. Asturias es plural hasta en el nombre, y tierras así exigen la visita del viajero para darse a comprender.

Esta tierra al otro lado de las montañas, callada en los siglos en que otras escribían la Historia, fue el punto de origen de una empresa que, con el tiempo, terminó convirtiéndose en la identidad nacional de todos. Luego volvió a su silencio hasta que tuvo las suficientes palabras para hablar de nuevo. Y en eso está.

Tierra aislada, sencilla, hermosa y transitiva, a pesar del diagnóstico orteguiano. Contrastada en su paisaje, de las nieves al mar en apenas cinco leguas, y desde el torrente arisco del río que nace hasta la mansedumbre del estuario en que desemboca. Y en sus formas de vida, desde el castillete del pozo minero a la exótica casa indiana que asoma entre palmeras. Y en sus manifestaciones estéticas, desde los caballos de Tito Bustillo hasta los murales de Salime. La baña a lo largo de más de doscientos kilómetros un mar bronco, que apenas le ofrece más gestos amistosos que un rosario de pequeñas playas, eso sí, bellísimas. La cierra una cordillera que la ha individualizado hasta hacerla deudora de casi todas sus formas de vida. La configuran unos valles que han compartimentado sus usos, sus hablas y sus costumbres. Pero, por paradoja, pocas regiones habrá que ofrezcan al visitante una mayor sensación de homogeneidad.

A esta tierra vamos a acercarnos levemente, con palabras breves e imágenes como caricias, un preludio del amor consumado que inevitablemente se ha de producir después.

INTRODUCTION

Asturias needs to be visited for it to be understood and enjoyed, because it escapes both word and picture. It is true that no land is easily captured by expressions, but Asturias less so than any other. Asturias is plural even in its name, and such lands require a visit from the traveller to be understood.

This land, on the other side of the mountains, silent during the centuries when others made history, was the starting point of a mission that with time became the national identity of us all. Then it returned to its silence until it had enough words to speak again. And that is where it is now.

Despite Ortega's analysis, it is an isolated, simple, beautiful and transitive land. Its landscapes are contrasting, from snow to sea in a distance of just over 5 leagues, and from the wild torrent of the river at its source to the calm of the estuary in which it joins the sea. And in its ways of life, from the headstock of the mine to the exotic Indiano house among palm trees. And in its aesthetics, from the horses of Tito Bustillo to the murals of Salime. It is bathed over a distance of more than two hundred kilometres by a brave sea which offers few more amicable gestures than a rosary of small beaches, which are, however, of great beauty. It is closed off by a mountain range that has individualised it to the point where it is in debt with almost all its life forms. It is shaped by valleys that have fenced off their uses, their speech and their customs from their neighbours. However, in paradox, there are few regions that offer the visitor a greater sensation of homogeneity.

We shall approach this land lightly, with brief words and caressing images, a prelude of the consummated love that shall unavoidably occur afterwards.

EL ENTORNO NATURAL

The Natural Environment

El Entorno Natural

Lo primero que percibe el visitante que llega a Asturias desde las tierras del interior, especialmente si es por primera vez, es una cierta sensación de cambio brusco y total. Se han acabado ya las lejanías de choperas y campanarios y las inmensas llanuras doradas de cereal que le acompañaron hasta entonces. Ahora el paisaje se ha vuelto abrupto, fragmentado en valles estrechos por los que corren ríos de aguas rápidas, y todo es de un color intensamente verde. Es la España húmeda y, dentro de ella, la imagen inconfundible del paisaje asturiano.

La responsable de este complejo relieve es la cordillera Cantábrica, la gran cadena montañosa que recorre todo el norte de España y que en Asturias alcanza sus mayores alturas. Su proximidad al mar, una media de 50 kilómetros entre las cumbres y la costa, hace que todo el espacio caiga bajo su influencia, creando una gran complejidad estructural y formal, que afecta, no sólo al paisaje, sino a los modos de vida, a las formas de producción y hasta a la propia idiosincrasia de sus gentes.

A grandes rasgos, el espacio físico asturiano puede dividirse en tres grandes franjas paralelas, que descienden escalonadamente hacia el mar: una zona dominada por la presencia de la alta montaña, los valles y sierras interiores, y la llanura litoral. La zona de montaña corresponde a la vertiente septentrional de la cordillera Cantábrica, que se alza como un inmenso murallón en cuyas partes más vulnerables se abren paso los puertos que comunican con la meseta castellana: Pajares, Tarna, San Isidro, Ventana, Somiedo, Leitariegos y Cerredo, todos ellos por encima de los 1.300 metros. Sobresale sobre todo el gran macizo de los Picos de Europa, en el extremo oriental de la región. Este gigantesco conjunto calcáreo se formó en el Terciario y se fue modelando por una intensa erosión, tanto kárstica como glacial, que ha dado lugar a la formación, por una parte, de simas y profundas grietas y, por otra, de grandes dolinas ocupadas por lagos, como los de Enol y Ercina. Desde el punto de vista morfológico, se distinguen claramente tres bloques, separados por las angostas fosas de los ríos Cares y Duje: el occidental o macizo del Cornión, el oriental o de Andara, y el central o de Bulnes, en el que se encuentran las cumbres más elevadas de toda la cordillera: Torrecerredo (2.648 m), Peña Santa de Castilla (2.596 m), Tesorero (2.570 m) y Naranjo de Bulnes (2.519 m).

La franja central está condicionada por la existencia de un gran número de cordales o sierras interiores. En la zona occidental, estos cordales se alinean de forma perpendicular al mar, originando largos valles tradicionalmente poco comunicados entre sí. En cambio, en el oriente, las sierras del Sueve y el Cuera corren paralelas a la costa, dando lugar a un largo surco prelitoral que facilita las comunicaciones y ejerce de verdadero corredor humano.

La llanura costera, conocida como la Marina, es una estrecha franja, cuya anchura oscila entre cuatro y seis kilómetros, que se interrumpe abruptamente sobre el mar, formando a todo lo largo del litoral un gran escalón rocoso que en ocasiones alcanza los 100 metros de altura. Es una costa de perfil uniforme, casi rectilíneo, roto tan sólo por el saliente del cabo Peñas. Sin embargo, abundan las pequeñas calas y las playas recogidas, especialmente en la zona oriental, donde la acción erosiva sobre la caliza las dotó de finas arenas blancas. Allí donde las desembocaduras de los ríos se abren en valles hundidos, aparecen amplios estuarios y magníficas rías, de las que Asturias presenta un espléndido conjunto: Eo, Navia, Pravia, Avilés, Villaviciosa, Ribadesella y Tina Mayor. La fachada marítima asturiana, la más larga de todas las provincias peninsulares españolas, tiene bien ganado el título de Costa Verde con el que se la conoce: praderías, maizales, pomaradas y bosquecillos llegan hasta el mismo borde del mar, uniendo los dos colores como si alguna vez hubieran sido uno solo.

La complejidad orográfica da lugar a un sistema hidrográfico abundante y con características propias. Es una red poco jerarquizada, en la que son numerosos los ríos que desembocan directamente en el mar. La cercanía de las cabeceras y su altitud determinan unos cursos cortos y rápidos, y la abundancia de precipitaciones unos caudales medios considerables para su dimensión. Al mismo tiempo, la acción erosiva ha favorecido la formación de profundos desfiladeros y gargantas, como la del Cares, los Beyos, las Xanas y tantos otros, que los amantes del senderismo conocen muy bien. Los ríos más importantes son el Eo, que marca el límite con Galicia y forma en su desembocadura un estuario de gran belleza; el Navia, de valle majestuoso; el Nalón, el más largo de toda la vertiente cantábrica, río de viejas resonancias mineras, que muere también formando una espectacular ría después de ser alimentado por dos poderosos afluentes, el Caudal y el Narcea; el Sella, corto, pero rico en paisaje, en fama y en salmones; y el conjunto Deva-Cares, que se unen poco antes de la desembocadura, después de atravesar el último la justamente llamada Garganta Divina.

El clima oceánico, con suaves temperaturas y frecuentes lluvias, favorece una vegetación abundante y específicamente atlántica, con predominio del bosque caducifolio y de la pradería, que dan al paisaje asturiano su aspecto característico. Robledales y hayedos aún ocupan grandes extensiones en los valles y montañas del interior, manteniendo un aceptable nivel de población frente al agresivo eucalipto; ahí están las imponentes masas forestales de Muniellos, Hermo o Peloño, como testimonio de la pervivencia del bosque autóctono. Estos bosques, que en otoño convierten nuestros montes en un inigualable muestrario de colores, constituyen uno de los más valiosos patrimonios naturales del Principado.

Otro es la fauna. Una vegetación frondosa y la abundancia de espacios montañosos escasamente sometidos a la presión humana propician una población animal rica en especies, si bien ninguna puede considerarse endémica de la región. De todas ellas hay cuatro que han alcanzado un carácter representativo, casi totémico: el oso pardo, mimado, protegido, que se mantiene en número no determinado en las zonas más apartadas; el tímido y esquivo urogallo, cuya población presenta esperanzadores signos de recuperación; el salmón, el gran señor de los ríos asturianos; y el asturcón, el pequeño caballo de cuyas cualidades ya se hacen eco diversos textos antiguos.

Este es el espacio físico de una región que *xanas* y *trasgos* habitaron desde siempre, refugiados en la niebla de sus bosques y en las conversaciones de sus llares, y que el visitante aún podrá encontrar en espíritu a poco que se pierda por sus caminos.

The Natural Environment

The first thing the visitor notices on his arrival to Asturias from the lands of the interior, especially if it is his first trip, is a certain sensation of brusque and complete change. The distant poplar groves have disappeared, as have the bell towers and the immense golden plains of cereal fields that up to then have accompanied him on his route. Now, the landscape has turned abrupt, broken up into narrow valleys through which fast water rivers flow, and everything is an intense green. This is the humid Spain and, within, the unmistakeable image of Asturian countryside.

The cause of this complex relief lies in the Cantabrian mountain range, the great mountain chain that stretches across the north of Spain and which reaches its greatest heights in Asturias. Its proximity to the sea, an average of 50 kilometres between the peaks and the coast, means that all space falls under its influence, creating a large complex structure and shape that affects not only the landscape but also the ways of life, production and the idiosyncrasies of its people.

Generally speaking, the physical space of Asturias can be divided into three large parallel sections, which descend in stepped fashion down to the sea: an area dominated by the presence of high mountains, the valleys and inland mountain ranges, and the coastal plain. The mountain area corresponds to the northern side of the Cantabrian mountain range, which rises up like an immense wall in whose most vulnerable sections the passes that join up with the Castilian plateau find their way: Pajares, Tarna, San Isidro, Ventana, Somiedo, Leitariegos and Cerredo, all above 1,300 metres. Particularly outstanding is the great massif of the Picos de Europa to the east of the region. This gigantic calcareous mass was formed in the Tertiary period and was then shaped by intense erosion, both glacial and karst. On the one hand, this led to the formation of chasms and deep fissures, and on the other, of great hilly areas that abound with lakes, such as those of Enol and Ercina. From a morphological point of view, three blocks can be clearly distinguished, separated by the narrow channels of the Cares and Duje rivers: the western block or Cornión massif, the eastern block or Andara, and the central block or Bulnes, which has the highest peaks of the mountain range: Torrecerredo (2,648 m), Peña Santa de Castilla (2,596 m), Tesorero (2,570 m) and Naranjo de Bulnes (2,519 m).

The central block is conditioned by the existence of a large number of hill or inland mountain ranges. To the west, these hill ranges line up perpendicular to the sea, creating long valleys that are traditionally separated from each other in many places. However, to the east, the ranges of El Sueve and El Cuera run parallel to the coast, giving rise to a large pre-coastal groove that enables communications and serves as a corridor for its population.

The coastal plain, known as La Marina, is a narrow section whose width varies between four and six kilometres, and which stops abruptly above the sea, forming a large rocky step along the entire length of the coast, reaching 100 metres in height in some places. It is a coast with a uniform outline, almost rectilinear, broken only by the outcrop of the cape of Peñas. However, there is an abundance of small coves and hidden beaches, especially to the east, where erosion on the limestone has left them fine white sand. There, where the mouths of the rivers open up into sunken valleys, there are magnificent estuaries, of which Asturias has a splendid collection: Eo, Navia, Pravia, Avilés, Villaviciosa, Ribadesella and Tina Mayor. The maritime front of Asturias, the largest of all the peninsular provinces of Spain, indeed deserves the name of Costa Verde (Green Coast): meadows, corn fields, apple orchards and small woods reach the very edge of the sea, joining the two colours together as if they had once been one and the same.

The complex relief of the land gives rise to an abundant water system with its own characteristics. The network has little hierarchy and many rivers run directly into the sea. The proximity of the headwaters and their altitude determine short, fast river courses, and the abundance of rainfall produces average flow volumes that are large for the size of the rivers. At the same time, erosion has led to the formation of deep gorges, such as those of El Cares, Los Beyos, Las Xanas and so many others, well known by hikers. The largest rivers are the Eo, which marks the border with Galicia and has a beautiful estuary at its mouth; the Navia, with a majestic valley; the Nalón, the longest river on the Cantabrian side, and an old mining river, which also forms a spectacular estuary at its mouth after being joined by two strong tributaries, the Caudal and the Narcea; the Sella, short but rich in landscape, renown and salmon, and the Deva-Cares combination, two rivers which join together just before the mouth, after the latter has crossed the aptly named Garganta Divina (Divine Gorge).

The oceanic climate, with smooth temperatures and frequent rainfall, favours abundant and specifically Atlantic vegetation, with a predominance of the deciduous forest and meadows which give the Asturian landscape its characteristic appearance. Oakwoods and beechwoods still take up large areas in the valleys and mountains of the interior, maintaining an acceptable population level despite the aggressive eucalyptus; the large forests of Muniellos, Hermo or Peloño bear witness to the survival of the autochthonous forest. These forests, which in autumn turn our mountains into an unequalled show of colour, constitute one of the most valuable natural heritages of the principality.

And there is the fauna. Leafy vegetation and the abundance of mountain spaces with scarce human presence have led to an animal population that abounds with different species, albeit true that none can be considered as local to the region. Of all of them, four have become representative, almost totemic: the brown bear, loved and protected, which maintains its undetermined numbers in the most distant areas; the shy and evasive capercaillie, with a population that shows hopeful signs of recovery; the salmon, the great lord of the Asturian rivers; and the asturcón, the small horse whose qualities are mentioned in many ancient texts.

This is the physical space of a region that has been inhabited by elves and goblins since time began, hiding in the mist of its forests and in the conversations of its homes, and which the visitor can still find in spirit along its pathways and roads.

El paisaje asturiano del interior está condicionado por una compleja morfología que combina abruptos sistemas montañosos con valles apacibles, como este de Degaña (arriba), y suaves laderas que se aprovechan para la actividad ganadera, como la que se muestra en la fotografía de la derecha, correspondiente al valle del Huerna.

The landscape of the interior of Asturias is conditioned by a complex morphology that combines rugged mountain systems with peaceful valleys, such as that of Degaña (above) and gentle slopes that are used for cattle farming, such as the one in the photo to the right, which corresponds to the Valley of El Huerna.

Cuatro aspectos característicos de la montaña asturiana: el puerto de Tarna (arriba), cabecera del Nalón y vía natural de salida hacia la meseta; el valle del Huerna (derecha), cuyas favorables características morfológicas se han aprovechado para realizar la moderna vía de comunicación con Castilla, y dos vistas parciales del paisaje de Somiedo (extremo derecho).

Four characteristic views of the mountains of Asturias: the Tarna pass (above), the headwaters of the Nalón and its natural course to the plateau; the Valley of El Huerna (right), whose favourable morphological characteristics have been used to lay the modern communication road with Castilla, and two partial views of the landscape of Somiedo (far right).

En las tierras altas, las brañas constituyen el refugio de pastores y ganados durante los meses de verano. Arriba, braña de La Pornacal. Sobre estas líneas, el pueblo de Pajares, en el legendario puerto del mismo nombre, que ha constituido durante siglos el principal paso de Asturias hacia el centro de la península. A la derecha, la laguna de Arbás, en Leitariegos, una de las muchas que salpican la montaña asturiana.

In the highlands, the brañas *offer shelter to the shepherds and cattle during the summer months. Above,* braña *of La Pornacal. Above these lines, the village of Pajares on the legendary pass of the same name, which, for centuries, has been the main pass from Asturias to the centre of the peninsula. To the right, Lake Arbás, in Leitariegos, one of many that are located throughout the mountains of Asturias.*

Doble página anterior:
la altura de las montañas
da lugar a nieves
abundantes en las zonas
más elevadas y a paisajes
cambiantes, como se ve
en estas dos fotografías
de Tuiza de Abajo.

*Previous double page:
the height of the
mountains gives rise to
abundant snowfall in the
highest areas and to
changing landscapes, as is
shown in these two
photographs of Tuiza
de Abajo.*

Los Picos de Europa son
un gran macizo calizo
de origen terciario,
modelado por los agentes
de la morfología kárstica
y glaciar. Los pueblos
se refugian en los abrigos
rocosos que constituyen
los pequeños valles.
Es el caso de Poncebos
(arriba) o de Tielve
(abajo). A la derecha, una
vista parcial de los Picos
destacando sobre el fondo
de la sierra del Cuera.

*The Picos de Europa
constitute a limestone
massif of tertiary origin,
shaped by the agents
of karst and glacial
morphology. The villages
are located in sheltered
rocky areas in the small
valleys. Such is the case
of Poncebos (above) or
Tielve (below). To the
right, a partial view of
the Picos as they stand
out from the background
of the mountain range
of El Cuera.*

El lago Enol ocupa un circo de origen glaciar a 1.070 m de altitud. Con sus 12 hectáreas de superficie y 23 m de profundidad, constituye la mayor masa de agua del Parque Nacional de los Picos de Europa. Pero más que los datos físicos, lo que cuenta aquí es la belleza del conjunto, un paisaje de roca gris, pradera verde y agua esmeralda, en un entorno solemne y grandioso, muy difícil de olvidar.

Lake Enol takes up a glacial cirque at a height above sea level of 1,070 m. With its 12 hectares of surface area and depth of 23 m, it is one of the largest water masses in the national park of the Picos de Europa. But more than the physical details, what stands out here is the beauty of the ensemble, a landscape of grey rock, green meadows and emerald water in surroundings that are solemn and grandiose and not easily forgotten.

Mítico, legendario, siempre desafiante, el Naranjo de Bulnes yergue su inmensa mole de roca en una de las zonas más abruptas del Macizo Central de los Picos de Europa. Meta de alpinistas, su nombre se encuentra asociado a la más pura imagen del alpinismo español. Fue conquistado por primera vez en 1904 por Pedro Pidal, marqués de Villaviciosa, y Gregorio Pérez «El Cainejo».

Mythical, legendary and ever challenging, the Naranjo de Bulnes raises its immense mass of rock in one of the most rugged areas of the central massif of the Picos de Europa. A target for mountaineers, its name is associated with the purest image of Spanish mountaineering. It was conquered for the first time in 1904 by Pedro Pidal, Marquis of Villaviciosa, and Gregorio Pérez "El Cainejo".

El lago Ercina se encuentra rodeado de pequeñas colinas, que le dotan de un entorno amplio y abierto.
Es más pequeño y menos profundo que el Enol, y actualmente se encuentra en recesión.
En la página de al lado, el río Esva.

Lake Ercina is surrounded by small hills, which give it open and spacious surroundings.
It is smaller than and not as deep as the Enol and is currently receding.
Opposite page, the River Esva.

La compleja morfología asturiana configura un sistema hidrológico de características peculiares. La cercanía de las montañas al mar da lugar a unos ríos cortos y caudalosos, de corriente rápida, que sólo se remansan en los valles abiertos de la zona central. Sirvan estos cuatro ejemplos. Arriba: el Sella a su paso por Arriondas y en Caño, cerca de Cangas de Onís. Abajo: un tramo del alto Ibias y el Nalón en Fuso de la Reina.

The complex morphology of Asturias is a hydrological system with peculiar characteristics. The proximity of the mountains to the sea gives rise to short, heavy, fast-flowing rivers, which slow down only in the open valleys of the central area. The following are four examples. Above: the Sella as it passes through Arriondas and the Caño, near Cangas de Onís. Below: a section of the Upper Ibias and the Nalón in Fuso de la Reina.

El mirador del Fito, en la sierra del Sueve, constituye un espléndido balcón sobre la montaña
y una gran parte de la costa oriental asturiana.

*The viewpoint of El Fito, in the mountain range of El Sueve, is a splendid vantage point
over the mountains and a large part of the eastern coast of Asturias.*

Asturias cuenta con 192 playas, que incluyen desde grandes arenales a pequeñas calas recogidas al abrigo de los acantilados rocosos, como esta playa del Oso, en Ribadedeva (arriba).

Asturias has 192 beaches, which range from large stretches of sand to small coves in the rocky cliffs, such as El Oso Beach, in Ribadedeva (above).

Doble página anterior: La costa asturiana tiene un perfil rectilíneo, roto tan sólo por el gran saliente del cabo Peñas, que se adentra en el mar como un gran espolón rocoso, dividiendo el litoral de nuestra región en dos partes prácticamente iguales.

Previous double page: The coast of Asturias lies in a straight line, broken only by the large promontory of Cape Peñas, which stretches out into the sea like a great rocky spur, dividing the coast of our region into two almost equal parts.

La gran longitud del litoral asturiano, las características geológicas de la pared costera y el fuerte oleaje del Cantábrico dan lugar a diversos fenómenos naturales, algunos, como los bufones, de gran espectacularidad. Arriba: formación geológica en los acantilados de Pimiango y dunas en Salinas. Abajo: el bufón de Ballota, en Llanes.
Página de al lado: Uno de los grandes atractivos que ofrece al caminante la montaña asturiana son sus espectaculares gargantas. Arriba, un sosegado paraje de la ruta de las Xanas. Abajo: el desfiladero de Piedras Juntas, en Proaza.

The great length of the coast of Asturias, the geological characteristics of the coastal wall and the heavy waves of the Cantabrian Sea produce a variety of natural phenomena, some of which, such as the bufones, *are very spectacular. Above: a geological formation among the cliffs of Pimiango and dunes in Salinas. Below: the* bufón de Ballota, *in Llanes.*
Opposite page: one of the great attractions offered to the hiker by the mountains of Asturias is its spectacular gorges. Above: a calm sport on the route of las Xanas. Below: the Piedras Juntas Gorge, in Proaza.

Los viejos caminos se han reconvertido en apacibles itinerarios para disfrutar del senderismo, como la ruta de las Xanas y la actual Senda Verde, en Fuso de la Reina (arriba), o el antiguo Camín Real de la Mesa (sobre estas líneas) y la famosa senda del Arcediano (al lado). Página de al lado: luz, color, misterio. El bosque asturiano tiene tantas tonalidades como rayos de sol.

The old roads have been turned into peaceful routes for hikers, such as that of Las Xanas and the present Senda Verde, in Fuso de la Reina (above), or the old Camín Real de la Mesa (above these lines) and the famous path of El Arcediano (to the side). Opposite page: light, colour, mystery. The forests of Asturias have as many colours as rays of sunlight.

Carbayeda de Tragamón.
Truffle Oaks in Tragamón.

En la página de al lado, he aquí tres de los animales totémicos de nuestros bosques y de nuestra memoria colectiva: el pequeño y resistente asturcón, el tímido y esquivo urogallo y el poderoso oso pardo, que forman, con el salmón, otro de los conjuntos que dotan a Asturias de su singular peculiaridad, hasta casi alcanzar la categoría de símbolos.

Opposite page: three of the totemic animals of our forests and our collective heritage: the small and resistant asturcón (wild horse of Asturias), the shy and evasive capercaillie And the powerful brown bear, which, together with the salmon, form another of the ensembles that make Asturias unique, and are almost one of its symbols.

Bosque de Muniellos.
The Forest of Muniellos.

HISTORIA Y ARTE

History and Art

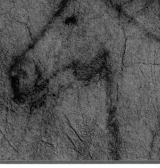

Historia y Arte

Mucho antes de que alguien llamara Asturias a esto, ya había aquí gentes que luchaban, cazaban y, sobre todo, pintaban. Las cuevas de Tito Bustillo, el Pindal, Candamo, el Buxu y otras muchas, constituyen uno de los conjuntos de arte rupestre más importantes de todo el Paleolítico. Luego, en el Neolítico, la pintura dará paso a la aparición de las primeras manifestaciones de la arquitectura monumental, cuyas muestras más destacadas son los dólmenes, muy abundantes en toda la región. En torno al siglo VI a. C. la población ya aparece totalmente urbanizada, habitando pequeños poblados conocidos como castros. En Asturias se han localizado cerca de trescientos, de los que los mejor conocidos son los de Coaña, Mohías, Chao de San Martín, San Chuis y Campa Torres, en Gijón. El territorio astur se incorporó definitivamente a Roma en el año 13 a. C., después de una larga resistencia que terminó con la llegada del propio Augusto al frente de las legiones. Las características físicas del terreno, la dificultad de las comunicaciones y el propio carácter de las tribus indígenas hicieron que la romanización no alcanzase la misma intensidad que en otras regiones de Hispania, pero su huella, al igual que en el resto del Imperio, fue trascendental, no sólo por la incorporación de la lengua y de nuevos conceptos sociales, jurídicos y familiares, sino también por la apertura de vías comerciales y la creación de nuevas ciudades, como Gijón.

Del dominio visigodo tenemos algún resto material y muy pocas noticias; del musulmán, noticias abundantes y ningún resto material. La región cayó bajo el poder del gobernador Munuza en el 714, que sentó su corte en Gijón, tal vez aprovechando la defensa que le brindaba la vieja muralla romana. Leyenda y crónica se mezclan en la explicación de los hechos que sucedieron a continuación, pero lo cierto es que un grupo de cristianos se refugiaron en las montañas orientales en torno a un noble visigodo llamado Pelayo, y que, entre los riscos de Covadonga, infligieron a los árabes su primera derrota. Era el año 722. Covadonga es uno de esos casos en los que las consecuencias de un hecho superan con mucho al hecho en sí. Quizá no se trató más que de una de tantas escaramuzas, pero el resultado real es que con ella nació el primer reino cristiano capaz de dar el impulso necesario para la recuperación de la España perdida. Cuando, apenas 200 años después, la frontera del reino cristiano se fijaba en el Duero, aquella primera resistencia había alcanzado todo su significado.

El reino asturiano fue un período de inestabilidad social y de búsqueda de fórmulas que asentasen las nuevas estructuras de poder, pero a la vez una etapa de fecunda creación artística. En su breve existencia, de 722 a 910, creó un estilo arquitectónico de gran originalidad, que constituye el conjunto más valioso que le queda a Europa de toda la alta Edad Media: el Prerrománico asturiano. En su etapa inicial, la que corresponde a los primeros sucesores de Pelayo, recurre todavía a los inmediatos precedentes visigodos, como puede verse en la iglesia de Santianes de Pravia, del tiempo del rey Silo (774-783). Con Alfonso II *el Casto* (791-842), que fija la corte en Oviedo, la monarquía consolida sus instituciones y comienza un período de esplendor artístico que se manifestará en los intentos de convertir la nueva capital en la heredera de la perdida Toledo. De esta época son la Cámara Santa de la catedral, San Julián de los Prados, San Pedro de Nora y Santa María de Bendones. En el reinado de su sucesor, Ramiro I (842-850), el Prerrománico asturiano alcanza su plenitud, incorporando innovaciones constructivas y modelos decorativos que luego adoptaría el románico. Los espléndidos edificios del Naranco, Santa María y San Miguel de Lillo, junto con Santa Cristina de Lena, suponen la plenitud del estilo. El tercer período corresponde al reinado de Alfonso III *el Magno* (866-910). Las fórmulas arquitectónicas presentan ya un cierto agotamiento y se recurre a modelos anteriores, aderezados con influencias mozárabes traídas por artistas de las tierras reconquistadas. A esta época corresponde, entre otros de menor importancia, una de las obras más emblemáticas de todo el arte asturiano: la iglesia de San Salvador de Valdediós.

Los monumentos prerrománicos ofrecen al espectador su modesta apariencia y su pequeñez, pero al mismo tiempo su gran complejidad estructural y, sobre todo, el testimonio de un afán de continuidad con lo anterior, en un reino que había tenido que improvisar gran parte de sus instituciones. Pero junto a esta actividad arquitectónica, el Prerrománico proporciona también espléndidas muestras de pintura y, sobre todo, de orfebrería. Las magníficas cruces de los Ángeles y de la Victoria, o la caja de las Ágatas, que se muestran en la Cámara Santa, apenas tienen parangón con ninguna otra joya de su tiempo.

Con el traslado de la capitalidad del reino a León, en el 914, y el consiguiente alejamiento de los centros de decisión, Asturias comienza un largo período de aislamiento y marginación, que se mantendrá a lo largo de toda la Edad Media. En el siglo XIII tiene lugar una cierta reactivación económica, potenciada en torno a 1270 por la concesión por Alfonso X de las cartas-pueblas, que dotaron a las poblaciones de derechos y de una organización administrativa propia y que fueron el origen de buena parte de las actuales villas asturianas. Por otra parte, la región se vio envuelta en las luchas dinásticas de los Trastámara, de las que sacó como único resultado positivo la concesión, por parte del rey Juan I, en 1385, de la titularidad del Principado de Asturias a su hijo Enrique, título que desde entonces ostentan todos los herederos de la Corona española.

Los dos grandes estilos artísticos medievales dejaron en Asturias un aceptable muestrario, más destacable por su cantidad que por sus aportaciones. El románico ofrece un amplio número de templos, más de ciento cincuenta, si bien en su mayoría se trata de edificios modestos, de carácter rural y de expresión tardía. Solamente las iglesias de origen monástico presentan claros elementos vinculados al llamado románico culto. Pero si nuestros templos románicos no pueden competir con otros conjuntos de fuera, a cambio ofrecen siempre al visitante la belleza de su entorno y su perfecta adecuación al marco natural que los acoge. Por toda Asturias pueden encontrarse ermitas, pequeñas capillas e iglesias de patrocinios diversos. Entre los ejemplos más destacados adscritos a la corriente del románico internacional cabe señalar los templos monásticos de Santa María de Valdediós, San Antolín de Bedón, San Salvador de Cornellana, San Pedro de Villanueva y Santa María de Obona, la colegiata de San Pedro de Teverga, las iglesias de San Juan de Amandi y Santa María de la Oliva, ambas en Villaviciosa, la Cámara Santa, con su inigualable Apostolado, en la catedral de Oviedo, y las parroquiales de Aramil, Ujo, Narzana o Arlós.

El gótico alcanza su máxima expresión en la catedral de Oviedo, iniciada a finales del siglo XIII y concluida ya en el XVI. Su construcción responde a un momento de consolidación urbana y de máximo alcance del patrocinio eclesiástico. El largo período de edificación hace patente la sucesión de estilos que la integran, desde el gótico puro de la sala capitular y parte del claustro, hasta el remate renacentista de la torre y el barroco de la capilla del Rey Casto. Otros edificios góticos esparcidos por la región son la basílica de Santa María de Llanes o la capilla funeraria de los Alas, en Avilés.

Los siglos XVI y XVII, época de la gran expansión española, suponen para Asturias un moderado crecimiento, pero la región no tiene un protagonismo colectivo en la empresa americana, sino a través de figuras individuales, como Pedro Menéndez de Avilés, el conquistador de La Florida. Sin embargo, la vida cultural recibe en este momento un impulso decisivo con la fundación, en 1608, de la Universidad de Oviedo por parte del arzobispo e inquisidor Fernando de Valdés, al que luego Pompeio Leoni le hará un fastuoso monumento funerario en la colegiata de Salas.

La Ilustración tiene en Asturias algunas grandes referencias en un grupo de figuras que influyeron en todos los campos. Políticos como Campomanes, economistas como Canga Argüelles o juristas como Agustín Argüelles, dejaron desde el espíritu liberal su influencia en la corte, mientras, desde su celda de San Vicente, Feijoo escribía sin descanso contra el oscurantismo de las creencias. Pero la gran personalidad de este, y de otros muchos momentos, es Jovellanos. Político, jurisconsulto, escritor, teórico de mil ideas y conciencia irreductible, su influencia en Asturias trasciende a su tiempo. Frutos materiales de su impulso fueron, por ejemplo, el Real Instituto Asturiano de Náutica y Mineralogía, el Plan de Mejoras de Gijón o la apertura de la carretera de Castilla.

La invasión francesa, a pesar de que sus primeros objetivos estaban alejados del norte, encontró aquí una rápida respuesta. Asturias fue, después de Madrid, la primera en reaccionar de modo efectivo contra los invasores. El 24 de mayo, la Junta Suprema, formada por ilustrados, acuerda declarar la guerra a Napoleón y formar un ejército, aunque sus resultados fueron más bien de carácter simbólico, dados su bisoñez y escaso equipamiento. Restaurado el absolutismo, otro asturiano, Rafael del Riego, encabezó el movimiento liberal de 1820.

La aristocracia local dejó en estos siglos la estampa de sus blasones en abundantes muestras. Palacios y casonas de sonoros apellidos se reparten por toda la geografía asturiana, tanto urbana como rural. Edificios de tipología diversa y de estética tardobarroca, que dominan con sus pretenciosas figuras el entorno en el que se encuentran, bien desde una colina, como en Pola de Allande, bien ocupando el espacio preferente de la ciudad, como en Gijón, Oviedo o Avilés. El tiempo y los avatares hereditarios fueron inclementes con buena parte de ellos, especialmente los erigidos en las zonas más aisladas, pero otros aún siguen dando prestancia a su entorno, aunque sea reconvertidos a otras funciones.

El siglo XIX supone para Asturias un cambio en sus estructuras sociales y económicas no conocido hasta entonces. A partir de 1836, una serie de disposiciones legislativas impulsan un cambio en los medios de producción, favorecidos por una mejora de las comunicaciones: En 1850 se construye el ferrocarril Langreo-Gijón, tercero de España; en 1884, con la inauguración del difícil tramo de Pajares, se completa la línea ferroviaria hasta Madrid; poco después, la construcción del puerto de El Musel, en Gijón, abre la región al gran comercio marítimo. La explotación del carbón impulsa la aparición de las primeras siderúrgicas, las de Mieres y La Felguera. Asturias, de pronto, se convierte en una región de economía industrial.

Estos años de entre siglos conocen también un fenómeno humano de hondo alcance: el de la emigración americana. Aparece la figura del indiano, el emigrante enriquecido que regresa a su pueblo como benefactor. En conjunto, la emigración supuso una aportación de capitales de enorme importancia, que fomentó la economía en todos sus sectores. Muchos bancos, fábricas, empresas de transportes, sociedades mineras y grandes comercios tuvieron su origen en el capital indiano, que, por otra parte, dejó en nuestros pueblos su peculiar huella, haciendo nacer un nuevo estilo artístico: la arquitectura indiana.

La creciente proletarización y una nueva toma de conciencia por parte de la clase obrera, especialmente politizada en las cuencas mineras, originaron una serie de tensiones sociales que desembocaron en la revolución de octubre de 1934. Las consecuencias fueron desastrosas, tanto en pérdidas humanas como patrimoniales. Pero sólo fue el prólogo de 1936.

Desde el inicio de la guerra, Asturias quedó bajo control republicano, con la sola excepción de Oviedo y del cuartel de Simancas en Gijón. La actividad bélica tuvo diversos escenarios, pero ninguno tan decisivo como el cerco de Oviedo, que se convirtió en la acción principal a lo largo de los quince meses que duró la contienda, y que condujo al derrumbamiento de las fuerzas republicanas en octubre de 1937.

Las tendencias autárquicas de las décadas siguientes supusieron para la economía asturiana una revitalización de sus recursos mineros, que arrastran consigo la de otros sectores cercanos, en especial el siderúrgico. La creación en 1957 de Ensidesa transforma radicalmente la realidad externa e interna de Avilés. En 1967 las empresas mineras se fusionan en Hunosa, y en 1973 las antiguas siderúrgicas se unen para crear Uninsa, cuya gran factoría de Gijón ponía definitivamente a Asturias a la cabeza del sector. La economía asturiana quedaba así apoyada sobre dos grandes soportes de producción: el carbón y el acero. Cuando, en los años 80 del siglo XX, estos sectores entren en crisis, se iniciará un profundo proceso de reconversión que culminaría con la privatización de la siderurgia, en tanto que la minería se enfrenta a un futuro más incierto.

Con la vuelta del sistema democrático, en 1975, Asturias vivió una intensa etapa política. Se recuperó la Junta General del Principado y se constituyó en Comunidad Autónoma. Al mismo tiempo se han abierto nuevas posibilidades de desarrollo, basadas en la mejora de las comunicaciones y en la revalorización de sus recursos turísticos, con objeto de que sustituyan con ventaja los espacios que otros sectores económicos han ido dejando.

History and Art

Long before anyone called Asturias by its name, the area was inhabited by peoples that fought, hunted and, above all, painted. The caves of Tito Bustillo, El Pindal, Candamo, El Buxu and many others make up one of the most significant ensembles of cave paintings from the entire Palaeolithic Age. Then, in the Neolithic Age, painting was to give way to the appearance of the first examples of monumental architecture, the most outstanding of which are the dolmens, which are very common throughout the region. The population appears completely urbanised around the 6th century B.C., with small villages known as castros (hill-forts). In Asturias, almost three hundred have been found, the most famous of which include those of Coaña, Mohías, Chao de San Martín, San Chuis and Campa Torres, in Gijón. The Asturian territory was definitively conquered by Rome in the year 13 B.C. after a lengthy period of resistance which ended with the arrival of Augustus himself to lead the legions. The physical characteristics of the land, the difficulty of the communications and the character of the native tribes meant that Romanisation was not as intense as in other regions of Hispania. However, the mark it left, as with the rest of the Empire, was transcendental, not only with the incorporation of the language and new social, legal and family concepts, but also with the opening of commercial routes and the creation of new cities, such as Gijón.

Visigoth domination has left few material remains and little information; from the Moslem period, an abundance of information and no material remains. The region fell under the reign of the governor Munuza in 714, who set up his court in Gijón, perhaps to make use of the defence afforded by the old Roman walls. Legend and chronicles mix together in the explanation of the events that then occurred, but what is certain is that a group of Christians took refuge in the mountains to the east under a Visigoth noble called Pelayo, and that among the cliffs and crags of Covadonga, they inflicted on the Moors their first defeat. It was the year 722. Covadonga is one of those events where the consequences of an occurrence are more important than the occurrence itself. Perhaps it was no more than another skirmish, but the real result was the birth of the first Christian kingdom capable of the necessary force required for recovering the Spain that had been lost. When, hardly 200 years later, the frontier of the Christian kingdom was situated at the River Duero, that first example of resistance had reached its full significance.

The Asturian kingdom was a period of social instability and of a search for the formulas that would establish the new structures of power. At the same time, it was a stage of fertile artistic creation. In its brief existence, from 722 to 910, it created a very original artistic style, which is made up of Europe's most valuable collection from the Early Middle Ages: the Asturian pre-Romanesque. At its initial stage, which corresponds to the first successors of Pelayo, it still resorts to the immediate Visigoth precedents, as can be seen in the church of Santianes de Pravia, from the time of King Silo (774-783). With Alphonso II the Chaste (791-842), who sets his court in Oviedo, the monarchy consolidated its institutions and began a period of artistic splendour that was to be seen in the attempts to turn the new capital into the successor to the lost Toledo. The following are from this period: the Holy Chamber of the cathedral, San Julián de los Prados, San Pedro de Nora and Santa María de Bendones. During the reign of his successor, Ramiro I (842-850), the Asturian pre-Romanesque style reached its height, incorporating constructive innovations and decorative models that would later be adopted by the Romanesque. The splendid buildings of El Naranco, Santa María and San Miguel de Lillo, together with Santa Cristina de Lena, are representative of the height of the style. The third period corresponds to the reign of Alphonso III el Magno (866-910). The architectural formulas began to reach their end and earlier models were used, enhanced with Mozarab influences brought by artists from the reconquered lands. Among other works, this period produced one of the most emblematic works of Asturian art: the church of San Salvador de Valdediós.

The pre-Romanesque monuments offer the spectator their modest appearance and small size, but at the same time they are structurally complex and, above all, bear witness to a desire for continuity with what has gone before, in a kingdom that had had to improvise most of its institutions. However, together with this architectural activity, the pre-Romanesque style provides splendid examples of paintings and especially gold work. The magnificent crosses of Los Ángeles and La Victoria, or the chest of Las Ágatas, which are to be found in the Holy Chamber, are almost incomparable with any other jewel of their time.

When the capital of the kingdom was moved to León in 914, and with the consequent distancing of the decision-taking centres, Asturias began a long period of isolation and marginalisation, which was to be maintained throughout the Middle Ages. In the 13th century, the economy was reactivated, strengthened around 1270 by the concession of the village charters of Alphonso X, which gave the villages both rights and their own administration. This was the origin of most of today's Asturian villages and towns. On the other hand, the region became involved in the dynastic struggles of the Trastámara family, which led to one positive result only, the concession by King John I in 1385 of the title of the Principality of Asturias to his son Henry. Since then, this title has been held by all the heirs to the throne of Spain.

The two great medieval artistic styles left behind a decent collection of examples in Asturias, more outstanding for its size than its quality. The Romanesque style offers a large number of churches –over one hundred and fifty-, albeit true that most of them are modest rural buildings from the late period. Only the churches of monastic origin show clear elements linked to the so-called cultured Romanesque. But although our churches are perhaps unable to compete with other collections from elsewhere, they always offer the visitor the beauty of their environment and their perfect adaptation to the natural setting in which they stand. It is possible to find shrines, small chapels and churches of different saints throughout Asturias. Among the most outstanding examples included in the current of the international Romanesque style are the monastic churches of Santa María de Valdediós, San Antolín de Bedón, San Salvador de Cornellana, San Pedro de Villanueva and Santa María de Obona, the collegiate church of San Pedro de Teverga, the churches of San Juan de Amandi and Santa María de la Oliva, both in Villaviciosa, the Holy Chamber, with its matchless Apostolate, in the cathedral of Oviedo, and the parish churches of Aramil, Ujo, Narzana or Arlós.

The Gothic style reaches its peak in the cathedral of Oviedo, which was begun at the end of the 13th century and finished in the 16th. Its construction responds to a moment of urban consolidation and maximum significance of ecclesiastic patronage. The long construction period is obvious in its different styles, from the pure Gothic style of the chapter room and part of the cloister, to the top part of the tower and the Baroque style of the chapel of the Chaste King. Other Gothic buildings spread across the region include the basilica of Santa María de Llanes or the funeral chapel of the Alas family in Avilés.

The 16th and 17th centuries, a period of great Spanish expansion, meant a moderate growth for Asturias, but the region did not take an important collective part in the American mission, but rather did so through individual figures, such as Pedro Menéndez de Avilés, the conqueror of La Florida. However, at this point in time, cultural life was given a decisive push forward with the foundation in 1608 of the University of Oviedo by the archbishop and inquisitor Fernando de Valdés, to whom Pompeio Leoni was to erect a lavish funeral monument in the collegiate church of Salas.

In Asturias, the Enlightenment is greatly represented by a group of figures who exercised their influence in all fields. Politicians such as Campomanes, economists such as Canga Argüelles or lawyers such as Agustín Argüelles promoted a liberal spirit that left its influence in the Court, while, from his cell in San Vicente, Feijoo wrote tirelessly against the obscurantism of beliefs. However, the great character of this and many other movements is Jovellanos. Politician, lawyer, writer, theoretician on thousands of ideas and an unyielding conscience, his influence on Asturias stretches beyond his own time. Material results of his involvement, for example, were the Royal Asturian Institute of Sailing and Mineralogy, the Gijón Improvements Plan or the opening of the Castilla Road.

Despite the fact that in the beginning it was not directed towards the Northern part of Spain, the French invasion encountered a swift response. After Madrid, Asturias was the first to react effectively against the invaders. On 24th May, the Supreme Government, made up of a learned body, agreed to declare war on Napoleon and form an army. Its results, however, were more symbolic in character, given its inexperience and lack of equipment. With absolutism restored to power, another Asturian, Rafael del Riego, headed the liberal movement of 1820.

During these centuries, the local aristocracies left the mark of their coats of arms in many examples. Palaces and stately homes of well-known lineages are to be found all over Asturias, both in the towns and country. Buildings of different types and late Baroque in appearance, which dominate their surroundings with their pretentious outlines, either from a hill, such as in Pola de Allande, or taking up the best place in the city, such as in Gijón, Oviedo or Avilés. Time, together with the ups and downs of inheritance, was relentless with most of them, especially those that were built in the more isolated areas. However, others still offer their presence to their surroundings, despite the fact that they have been given new functions.

For Asturias, the 19th century meant a change in social and economic structures that was then unknown. From 1836 onwards, a series of legal provisions led to a change in the production methods, favoured by an improvement in communications: 1850 saw the construction of the Langreo-Gijón railway, the third in Spain; in 1884, with the opening of the difficult Pajares section, the railway line to Madrid was complete; shortly afterwards, the construction of the port of El Musel in Gijón opened up the region to the great maritime trading possibilities. Coal mining brought about the appearance of the first iron and steel works in Mieres and La Felguera. Asturias suddenly became a region with an industry-based economy.

These between-century years were also witness to a human phenomenon that had a great impact: the emigration to America. The figure of the Indiano appeared, the emigrant who had found wealth and returned to his village as a benefactor. As a whole, emigration brought capital that was tremendously important, and which promoted the economy in all its sectors. Many banks, factories, transport companies, mining companies and large stores were born of Indiano capital, which, on the other hand, left its particular mark on our villages with the birth of a new artistic style: Indiano architecture.

The growing proletarianisation and a new awareness of the working class, especially politicised in the mining areas, led to a social tension that broke out into the revolution of October 1934. The consequences were disastrous in losses of both human life and patrimony. It was, however, a mere prologue to the events of 1936.

From the beginning of the civil war, Asturias fell under Republican control, with the sole exception of Oviedo and the Simancas barracks in Gijón. The fighting took place on different scenarios, but none as decisive as the siege of Oviedo, which became the main action of the fifteen months long struggle. It led to the disintegration of the Republican forces in October 1937.

The autarchic tendencies of the following decades meant a revitalisation of the Asturian economy's mining resources, which are closely linked to other sectors, especially the iron and steel industry. The creation in 1957 of Ensidesa brought about a radical transformation of the external and internal reality of Avilés. In 1967, the mining companies were fused together to create Hunosa, and in 1973, the former iron and steel works joined together to form Uninsa, whose large factory in Gijón put Asturias at the top of the sector. In this way, the Asturian economy rested on two great production supports: coal and steel. When in the 80s of the 20th century these sectors hit a crisis, a profound reconversion process took place, culminating with the privatisation of the iron and steel industry and the mining sector left to face an uncertain future.

With the return to democracy in 1975, Asturias experienced an intense period of politics. The General Government of the Principality was recovered and the Autonomous Region created. At the same time, new development possibilities have been opened, based on the improvement of communications and the revaluation of its tourist resources, with a view to their making greater use of the spaces other economic sectors have left behind.

El arte parietal paleolítico tiene en Asturias algunos importantes santuarios. En su mayoría pertenecen al magdaleniense, con representaciones zoomórficas, aunque no faltan signos tectiformes, manos u otras partes del cuerpo humano. El yacimiento más conocido es el de Tito Bustillo, en Ribadesella (en esta página), tanto por su gran extensión como por la calidad de sus imágenes, pero cabe destacar otros, como el de la cueva del Pindal, en Ribadedeva (al lado, arriba), la de Candamo (abajo), y la del Buxu, Llonín y otras.

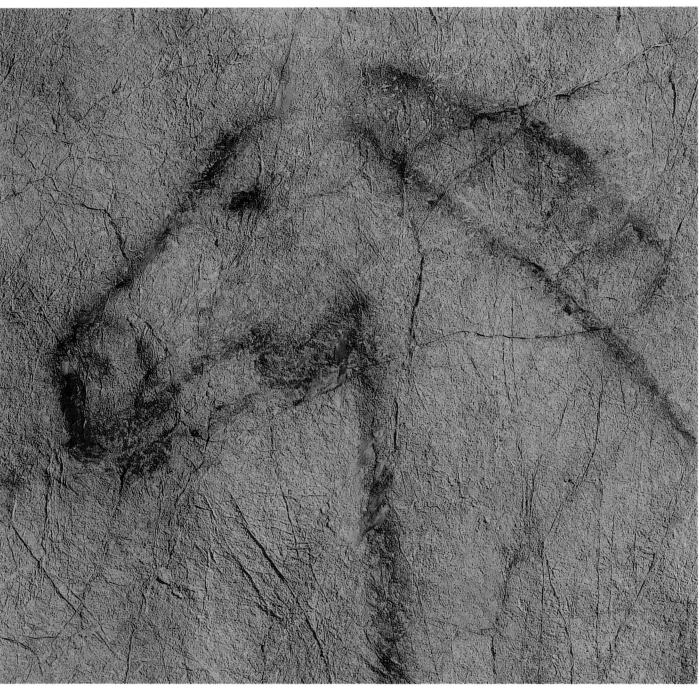

Palaeolithic parietal
art has important
sanctuaries in Asturias.
Most of them belong to
the Magdalenian period,
with zoomorphic
drawings, although there
are also tectiform signs,
hands or other parts
of the human body.
The most famous dig
is that of Tito Bustillo,
in Ribadesella (opposite
page), due to both its size
and the quality of its
images, but others are
also worthy of mention,
such as that of the cave
of El Pindal, in
Ribadedeva (above),
that of Candamo
(below) and those
of Buxu and Llonín,
among others.

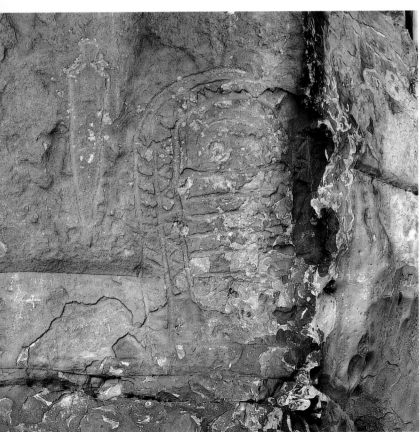

El ídolo de Peña Tu, en Vidiago, Llanes (izquierda, arriba y abajo) presenta una figura humana grabada esquemáticamente en la roca. Quizá se trate de un monumento tumular, correspondiente a la primera etapa de la Edad del Bronce (hacia 1800 a. C). También el Neolítico nos ha dejado buenas muestras de la cultura megalítica, como este dolmen de La Cobertoria (arriba).

The idol of Peña Tu, in Vidiago, Llanes (left, above and below) shows a human figure diagrammatically engraved in the rock. It might be a burial monument corresponding to the first stage of the Bronze Age (around 1800 BC). The Neolithic period has also left behind good examples of the Megalithic culture, such as this dolmen in La Cobertoria (above).

Los castros constituyen el principal testimonio de la vida de los pueblos prerromanos en Asturias, tanto por el relativamente buen estado de conservación en que se encuentran como por la información que nos proporcionan a través de los abundantes hallazgos de piezas y objetos de uso cotidiano. Hay noticias de un gran número de ellos, pero los mejor estudiados y conocidos son los de Coaña (abajo), Campa Torres, en Gijón (página anterior abajo derecha), Chao San Martín, en Grandas de Salime y San Chuis, en Allande.

Hill-forts constitute the main testimony to the life of the pre-Roman villages in Asturias, both thanks to their relatively good state of conservation and to the information they give us through the many finds of pieces and objects of everyday use. There are a great many of them, but the best studied and most well-known are those of Coaña (above), Campa Torres, in Gijón (previous page, bottom right), Chao San Martín, in Grandas de Salime and San Chuis, in Allande.

El Prerrománico (ss. VII-X) constituye la mayor aportación de Asturias al arte universal. Cronológicamente, su primer vestigio es la iglesia de Santianes de Pravia, de evidente influencia visigótica. Arriba: ventana y bañera bautismal. Abajo: vista exterior. Página de al lado: San Julián de los Prados, en Oviedo, corresponde al reinado de Alfonso II *el Casto* (788-842). En su interior destaca la decoración pictórica.

The pre-Romanesque period (7th to 10th centuries) constitutes the greatest contribution of Asturias to universal art. Chronologically, its first vestige is the church of Santianes de Pravia, which bears obvious Visigothic influences. Above: window and baptism font. Below: view of the exterior. Opposite page: San Julián de los Prados, in Oviedo, corresponds to the reign of Alphonso II the Chaste (788-842). Of particular interest in its interior is the pictorial decoration.

Las iglesias de San Pedro de Nora
(en esta página) y la de Santa María
de Bendones (página siguiente, arriba),
ambas cerca de Oviedo, corresponden
a la etapa de Alfonso II y presentan
su tipología habitual: planta basilical,
tres naves, pórtico y cabecera cuadrada.

*The churches of San Pedro de Nora
(this page) and Santa María de Bendones
(following page, top), both near Oviedo,
correspond to the period of Alphonso II and
are typical examples of it: basilical layout,
three naves, portico and square upper end.*

Página de al lado, abajo: la cripta de Santa
Leocadia ocupa el piso inferior de la Cámara
Santa. Se trata de un espacio sepulcral,
cubierto con una gran bóveda de cañón que
crea un espacio opresivo.

*Opposite page, bottom: the crypt of Santa
Leocadia occupies the bottom floor of the
Holy Chamber. It is a tomb area covered
with a large barrel vault, which creates an
oppressive space.*

Cerca de Pola de Lena, en lo alto de una colina, se alza esta encantadora y compleja iglesia, dedicada a Santa Cristina, que corresponde a la segunda etapa del estilo. En su interior destaca el triple arco que separa el espacio litúrgico del de los fieles, en cuyo vano central se encuentra un iconostasio de clara filiación visigótica.

Near Pola de Lena, on the top of a hill, stands this pleasant and complex church, dedicated to St. Christine, and which corresponds to the second stage of the style in question. Its interior has a triple arch which separates the liturgical area from that of the faithful, the central vane of which holds an iconostasis that is clearly Visigothic.

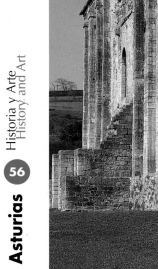

El reinado de Ramiro I (842-850) supone la etapa de plenitud del arte asturiano, que alcanza su mayor esplendor en la iglesia de Santa María del Naranco. Perfecta de proporciones y de armonía espacial, innovadora en lo arquitectónico y sumamente original en su repertorio decorativo, su célebre fachada, en especial los tres arcos peraltados de los miradores, se han convertido en uno de los símbolos inconfundibles de Asturias.

The reign of Ramiro I (842-850) represented the stage of the plenitude of Asturian art, which reaches its greatest splendour in the church of Santa María del Naranco. Its proportions are perfect, as is the harmony of its space. It is architecturally innovative and has original decoration. In particular, its famous front, with the three stilted arches of its windows, has become one of the unmistakeable symbols of Asturias.

La otra iglesia del Naranco, San Miguel de Lillo, aunque mutilada por un corrimiento de tierras, sigue ofreciéndonos su gran complejidad arquitectónica y los magníficos relieves de las jambas de la puerta, de lejana recurrencia bizantina.

The other church of El Naranco, San Miguel de Lillo, although damaged by a landslide, still boasts its great architectural complexity and the magnificent reliefs on its doorjambs, which are vaguely evocative of the Byzantine style.

HOC SIGNOTVE TVRPIVS HOC SIGNO VINCIT INIMIC

SIGNVMSALVTISPONEDO MINEINIANVISISTIS

VT NONPERMITASINFO IREANGELVMPERCVTIENEM

La lápida de Alfonso III (Museo Arqueológico de Oviedo) nos presenta una de las primeras representaciones de la Cruz de la Victoria, verdadera «firma» de la etapa del rey Magno.

The tombstone of Alphonso III (Archaeological Museum of Oviedo) presents us with one of the first representations of the Victoria Cross, the true "symbol" of the period of this king.

La iglesia de San Salvador de Valdediós (doble página siguiente) constituye la obra señera del último período del Prerrománico, el que corresponde al reinado de Alfonso III *el Magno* (866-910). Destaca la presencia del pórtico meridional y la aparición de motivos de origen mozárabe. A la derecha, una celosía de esta iglesia.

The church of San Salvador de Valdediós (following double page) constitutes the outstanding work of the later stages of the pre-Romanesque period, which corresponds to the reign of Alphonso III el Magno (866-910). Of particular interest are the southern portico and the motifs of Mozarab origin. To the right, a lattice window of this church.

La orfebrería asturiana alcanzó un desarrollo técnico y artístico de difícil parangón en la Alta Edad Media europea. Al reinado de Alfonso II el Casto corresponde la Cruz de los Ángeles (izquierda), llamada así por la creencia de que tal perfección sólo pudo haber salido de manos de ángeles. La famosa Cruz de la Victoria (derecha), emblema del Principado, corresponde a la etapa de Alfonso III. Su nombre deriva de la tradición que afirma que el ropaje de oro y piedras preciosas que la adorna envuelve la cruz de madera que Pelayo enarboló en Covadonga. La llamada Caja de las Ágatas (centro) es un delicado relicario de oro repujado y ágatas. Las tres joyas se encuentran en la Cámara Santa de la catedral de Oviedo.

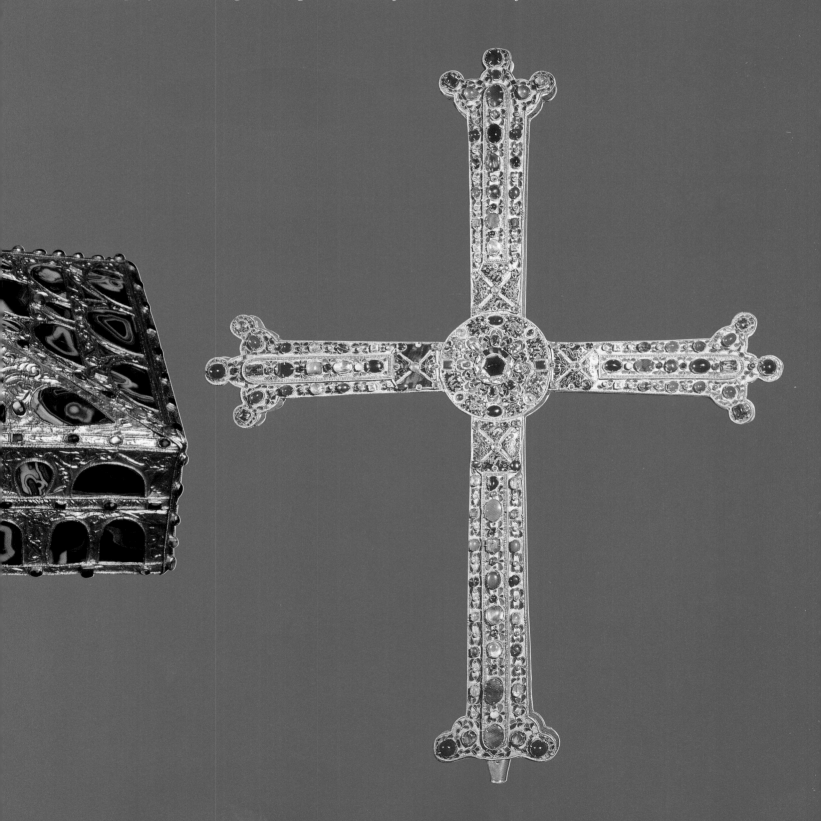

Asturian gold work reached an incomparable stage of technical and artistic development in the high Middle Ages of Europe. The Cross of the Angels (left) corresponds to the reign of Alphonso II the Chaste. It was given this name as a result of the belief that such perfection could only be created by the hands of angels. The famous Victoria Cross (right), the emblem of the Principality, corresponds to the period of Alphonso III. Its name comes from the tradition that states that the cloth of gold and precious stones that decorate it cover the wooden cross that Pelayo hoisted in Covadonga. The so called Caja de Las Ágatas (Chest of Agates) (middle) is a delicate reliquary of embossed gold and agates. The three jewels are in the Holy Chamber of the cathedral of Oviedo.

Lejos ya de la corte, en las apartadas tierras de Teverga, se encuentra el edificio que mejor ejemplifica el paso de los postulados prerrománicos al nuevo estilo que ya se estaba imponiendo en Castilla: San Pedro de Teverga. Muy modificado en su exterior (arriba), en el interior (página de al lado) es posible seguir esta evolución, aún apenas iniciada. Su construcción hay que situarla en torno al 1075.

Further away from the court, in the distant lands of Teverga, stands the building that represents the best example of the passing of the pre-Romanesque postulates to the new style that was arising in Castilla: San Pedro de Teverga. Its exterior (above) has been greatly modified and this evolution, which is still hardly started, can be seen in the interior (opposite page). Its construction is set at around 1075.

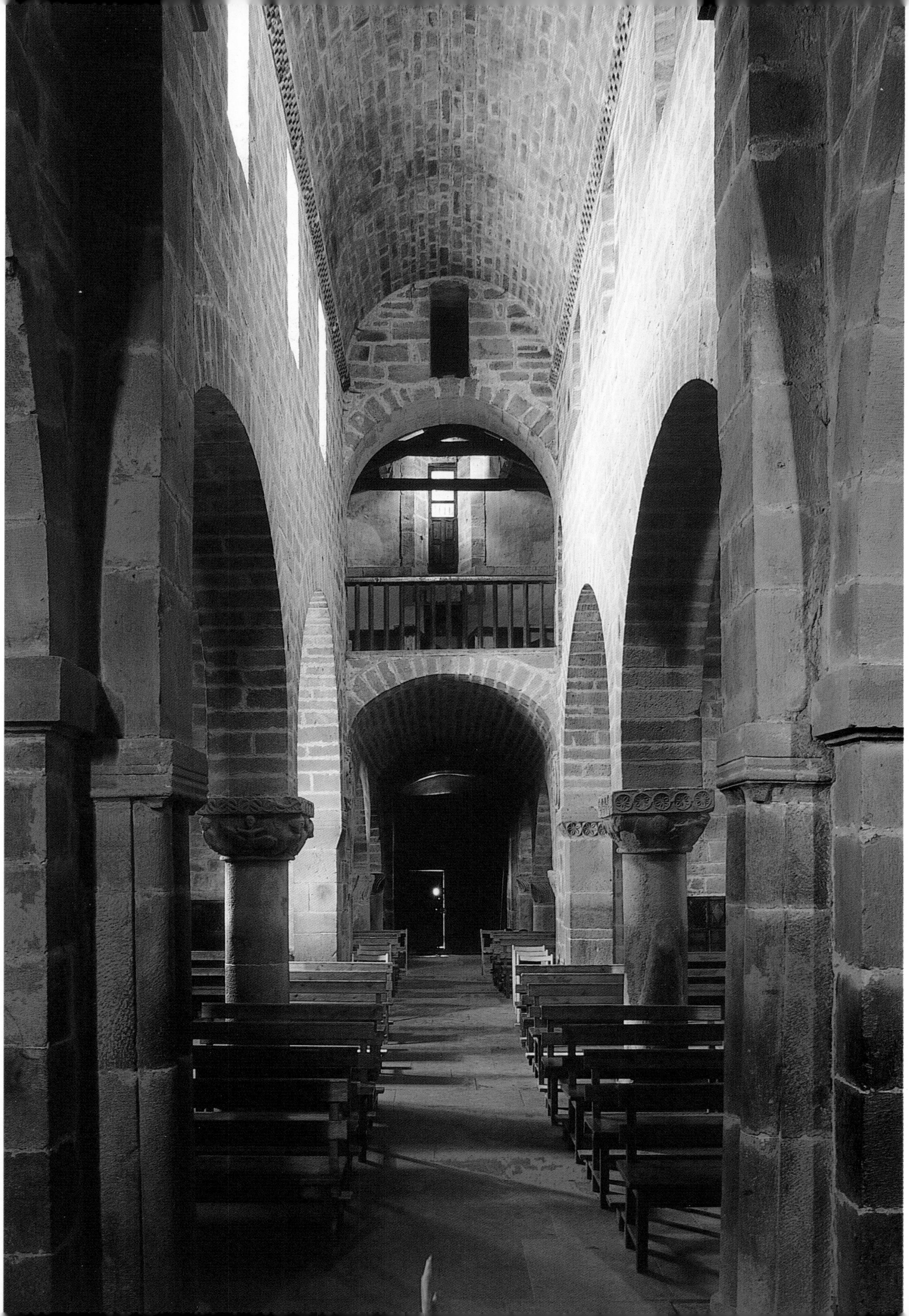

Al lado de la vieja iglesia prerrománica de San Salvador,
se levantó en el siglo XIII el monasterio cisterciense
de Santa María de Valdediós, felizmente recuperado
para la vida monástica en 1992. (Arriba y al lado).

*Next to the old pre-Romanesque church of San Salvador,
the Cistercian monastery of Santa María de Valdediós was built
during the 13th century and was fortunately recuperated to be used
for monastic life in 1992 (above and to the side).*

Página de al lado: si bien el románico asturiano no cuenta con los
grandes conjuntos arquitectónicos de la vecina Castilla, sí ofrece en
cambio una de las manifestaciones escultóricas más importantes de
todo el estilo en España: el apostolado de la Cámara Santa. Los doce
discípulos, agrupados de dos en dos, parecen entablar entre sí un
diálogo sereno que, rota ya la frontalidad y hieratismo románicos,
anuncia la llegada del naturalismo gótico.

*Opposite page: albeit true that the Romanesque style in Asturias
cannot boast the large architectural ensembles of neighbouring Castilla,
it does offer one of the most important sculptures of this style in Spain:
the apostolate of the Holy Chamber. The twelve disciples, grouped
together in pairs, appear to hold a serene conversation which,
with the Romanesque frontality and solemnity broken, announces
the return of Gothic naturalism.*

Arriba, San Juan de Amandi en Villaviciosa: portada y arquería del espacio litúrgico. Al lado y extremo derecho arriba: la iglesia románica de San Pedro de Villanueva en Cangas de Onís, vistas del interior y el exterior. En el extremo inferior derecho: exterior de Santa María de la Oliva en Villaviciosa, ya protogótica.

Above, San Juan de Amandi in Villaviciosa: front and arches of the liturgical area. To the side and above far right: the Romanesque church of San Pedro de Villanueva in Cangas de Onís, views of the interior and exterior. Bottom far right: exterior of Santa María de la Oliva in Villaviciosa, with its proto-Gothic style.

La catedral de Oviedo, dedicada a San Salvador,
aunque de factura básicamente gótica, ofrece todos
los estilos, desde el prerrománico de la Cámara Santa
hasta el remate renacentista de la torre.
(Arriba: exterior. Página de al lado: nave central).

The cathedral of Oviedo, dedicated to San Salvador.
Although it is fundamentally Gothic, it boasts
all styles, from the Romanesque of the Holy Chamber
to the Renaissance finish of the tower. (Above: the
exterior. Opposite page: central nave).

Tres figuras fundamentales de la cultura asturiana. Sobre estas líneas, Fernando de Valdés Salas, fundador de la Universidad de Oviedo, cuyo monumento funerario, en la colegiata de Salas (página de al lado) esculpió Pompeio Leoni. Benito Feijoo (arriba, derecha), monje benedictino que combatió la ignorancia y oscurantismo de su siglo. Gaspar Melchor de Jovellanos (abajo derecha), la personalidad más destacada de la Ilustración española, jurisconsulto, político, escritor y conciencia irreductible frente al poder. Retrato de Goya.

Three fundamental figures of the culture of Asturias. Fernando de Valdés Salas (above), founder of the University of Oviedo, whose funeral monument, in the collegiate church of Salas (opposite page) was sculpted by Pompeio Leoni. Benito Feijoo (above right), a Benedictine monk who fought against the ignorance of his century. Gaspar Melchor de Jovellanos (right), the most outstanding character of the Spanish Age of Enlightenment, a legal consultant, politician, writer and implacable conscience in the face of power. Portrait by Goya.

En las afueras de Cudillero se alza este hermoso conjunto, fruto del diletantismo culto que abundó en la segunda mitad del siglo XIX. En este caso fueron los hermanos Selgas los que crearon aquí su particular mundo de belleza y buen gusto. El conjunto está formado por un palacio de estética italiana, diversos pabellones, un extenso muestrario de jardines de diferentes estilos, un grupo escolar y una iglesia. El palacio alberga una importante colección de objetos y obras de arte, entre ellas cuadros de El Greco, Morales y Goya.

On the outskirts of Cudillero stands this beautiful ensemble, fruit of the cultured dilettantism that was so common during the second half of the 19th century.
In this case, it was the Selgas brothers who created there particular world of beauty and good taste. The ensemble is made up of an Italian-style palace, different pavilions, an extensive choice of different style gardens, a school and a church. The palace holds an important collection of pieces and works of art, which include paintings by El Greco, Morales and Goya.

La emigración americana de finales del siglo XIX y comienzos del XX creó la figura del indiano, el emigrante que volvía a su pueblo enriquecido. Su añoranza dio lugar al llamado estilo indiano, en puridad, una clase de eclecticismo. Los ejemplos abundan por toda Asturias. Basten estas tres muestras: la Quinta Guadalupe, en Colombres (arriba), que alberga el Museo de Indianos; la Villa Anita, en Boal (abajo), y la Casa de la Torre, en Somado, Pravia (página de al lado)

The emigration to America of the end of the 19th century and beginning of the 20th created the figure of the indiano (Spaniard who emigrated to America) who emigrated to return to his hometown a wealthy man. His nostalgia gave rise to the so-called indiano style, which was basically a kind of eclecticism. There are many examples all over Asturias: the Quinta Guadalupe, in Colombres (above), which houses the Museum of Indianos; the Villa Anita, in Boal (below), and the Casa de la Torre (House of the Tower), in Somado, Pravia (opposite page).

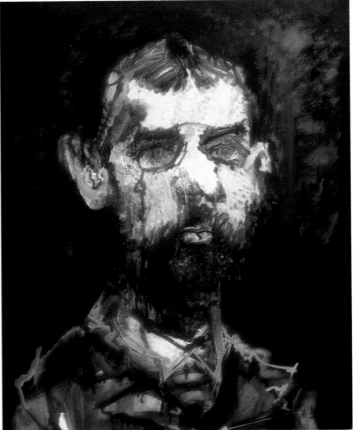

Ramón de Campoamor (1817-1901), cuyo monumento en su Navia natal reproducimos en la fotografía de arriba, fue un poeta enormemente popular en su tiempo, especialmente por sus *Doloras* y *Humoradas*, si bien su obra pasó luego por un cierto olvido. En cambio, Leopoldo Alas, *Clarín* (1852-1901) (abajo), continúa gozando de vigencia gracias sobre todo a *La Regenta*. Por su parte, el luarqués Severo Ochoa (arriba derecha), premio Nóbel de Medicina, sigue siendo una de las más altas cumbres de la ciencia española.

Ramón de Campoamor (1817-1901), whose monument in his hometown Navia is shown in the photograph above, was a very popular poet in his day, especially known for his Doloras y Humoradas. *However, his work was then forgotten to a certain point. On the other hand, Leopoldo Alas,* Clarín *(1852-1901) (below), remains in vogue thanks in particular to his work* La Regenta. *Severo Ochoa, who was from Luarca (above right), was awarded the Nobel Prize for medicine and continues to be one of the highpoints of Spanish science.*

La Revolución Industrial coincidió en Asturias con la explotación de los primeros yacimientos de carbón y supuso un cambio radical de los modos de producción que afectó a todos los sectores económicos. El paisaje rural se modifica con la aparición de castilletes mineros, chimeneas, instalaciones siderúrgicas, astilleros, y hasta el urbano se ve afectado por la creación de edificios y centros de estudios especializados, como la gran Universidad Laboral de Gijón (arriba). A la derecha: astilleros de Avilés y pozo minero en la cuenca del Aller.

In Asturias, the Industrial Revolution coincided with the first coal mines and brought about a radical change in production methods, which affected all economic sectors. The landscape of the countryside was changed with the appearance of pitheads, chimney stacks, iron and steel works and shipyards, and even the urban areas were affected, with the creation of buildings and centres for specialised studies, such as the great Universidad Laboral of Gijón (above). To the right: shipyards of Avilés and a mine in the basin of the Aller.

Arte del siglo XX en Asturias: la solemne funcionalidad del palacio de la Junta General del Principado, en Oviedo (1910) contrasta con la escueta abstracción del *Elogio del Horizonte*, en Gijón (1990), de Eduardo Chillida.

20th-century art in Asturias: the solemn functionality of the palace of the Junta General del Principado (Regional Government of the Principality), in Oviedo (1910) contrasts with the succinct abstraction of the Elogio del Horizonte *Praise of the Horizon), in Gijón (1990), by Eduardo Chillida.*

Asturias cuenta con un importante conjunto de museos.
Arriba: Museo Arqueológico de Oviedo. Abajo: Museo
dedicado al escultor Antón, en Candás. Derecha: patio del
Museo de Bellas Artes, Oviedo.

Asturias has an important collection of museums.
Above: Archaeological Museum of Oviedo.
Below: Museum dedicated to the sculptor Antón,
in Candás. Right: patio of the Fine Arts Museum, Oviedo.

Arriba: Museo Evaristo Valle,
dedicado a este pintor gijonés.
Al lado: Museo-Casa Natal de
Jovellanos, en Gijón.
Página siguiente: sala del Museo
Barjola, en Gijón (arriba). Museo
Nicanor Piñole, también en Gijón
(centro). Cuadro de Maella, en el
Museo Diocesano de Oviedo (abajo).

*Above: Evaristo Valle Museum,
dedicated to the painter from Gijón.
To the side: Birth-house Museum of
Jovellanos, in Gijón. Following page:
room in the Barjola Museum, in Gijón
(above). Nicanor Piñole Museum, also
in Gijón (centre). Painting by Maella,
in the Diocesan Museum of Oviedo
(bottom).*

The People, the Life

Despite the fact that the concept of natural determinism is not having its best moment, it must be mentioned when looking at the life and people of Asturias. It is not that we wish to see any exceptions, for all lands are the same in this field, but it will help us to understand its human landscape, the internal diversity that dominates any of its manifestations, certain features of its character and even the formal aspects of many of its villages. Asturias, as has been said already, is a land of mountains like few others, and it is a known fact that plains join and mountains separate. The valleys that divide the physical landscape also separated human landscapes and hindered relations between them. The Asturias of the mountain and the Asturias of the sea, even today, offer the visitor the contrast of their architecture, their ways of life, and also of the character of their people and their expressions. Perhaps the most obvious case is that of the vaqueiros de alzada (pick-up-and-go cowhands).

The vaqueiros were a social group dedicated traditionally to cattle (thus, their name) and who picked up their belongings and moved on (thus the other part of their name). In winter, they inhabited the lowlands, near the coast, and in spring, they migrated, together with all their belongings, to the higher areas in the more remote valleys of the interior to make the most of the better quality pastures. Their closed society, highly inbred, and their almost inexistent adaptation to the social habits of others, together with the traditional rivalry between farmers and cattle farmers, brought them generalised isolation, up to the point where they were occasionally looked upon as a different race. For example, in the church of San Martín de Luiña, it is still possible to see the lines on the floor which indicated how close they were allowed to approach. Nowadays, the highlands, with their thatched cabins, still form part of the Asturian mountain countryside. They maintain their traditional function, but their simple and peaceful appearance, always in the middle of a green field, at the foot of a rock, has become part of the most charming heritage of the eternal Asturias.

The country atmosphere has been and is the characteristic of most of the Asturian landscape, and its most representative human aspect is the quintana, a small rural production unit made up of a house, stables, hórreo (raised granary), barn and its crop land. It is the base of a primary self-sufficient economy that does not seek excess production or more commercial operations than those required for existence. In a region such as Asturias, in which the land is given a category just below that of mother-goddess, the countryside is still a permanent point of reference for its expressions, from music, of essentially rural origin, a village of quintanas, festivals, springs, beautiful village women, apple orchards and shepherds to the enormous variety and wealth of popular art.

A different Asturias is the one that is concentrated in the basins of the River Nalón and the Caudal. Here, this Asturias has one of its great signs of identity. A physical image for the exterior, but above all, an image of society and work of national importance. Despite the progressive recession of the coal sector, the mining areas maintain their particular industrial and spiritual physiognomy: pit-heads, shafts, tips, villages stretched to both sides of the rivers, uniform houses and shadows of past and present tragedies. Nowadays, as it is no longer used to wash the coal, the river water is clean and even the salmon has rediscovered it. Another heritage, truly unrepeatable, which should be paid due attention, if only out of gratitude for a sector that has given Asturias a significant part of its personality.

In the coastal area, life has other interests and the villages have different appearances. The houses pile up around the cove that shelters the port, and at times, climb up the slopes like the seats of a Greek theatre. The Asturian sea people, as the sea people all around the world, know more than anyone about farewells and reunions, of devotion and miraculous Christs that appeared in the waves. Perhaps, in Asturias, there is no village that does not have a shrine on a high place next to the sea. Nowadays, most of them have been reconverted to tourism, which is the activity that involves less risk and most profit, but even now Palacio Valdés could have written his José, had he spoken with the people.

Mountains divide, and for this reason, we cannot speak of one single Asturias. each valley created its own ethology, and still today, when communications have done away with all distances, the traveller may notice a vernacular with phonetic and lexical differences that make it difficult to refer to bable (Asturian dialect) as one single dialect. However, the hospitable character of its people is indeed common to all Asturias, together with their willingness to invitation, no matter how unknown the new arrival may be, and their expression of openness. Not forgetting their inclination to singing and arguing on any subject, with no consequences other than that of sharing a bottle of cider afterwards.

En esta página, en la braña de Aristébano, concejo de Valdés, tiene lugar anualmente una gran fiesta vaqueira, en la que se celebra una boda siguiendo la costumbre tradicional.
Página de al lado, en las fiestas y romerías populares puede verse la vestimenta tradicional del campesino astur. Quizá sus elementos más diferenciadores sean la montera picona y, como en este caso, las madreñas.

This page, in the braña *of Aristébano, in the region of Valdés, a vaqueiro festival is held every year, including a wedding, in keeping with tradition.*
Opposite page, the popular festivals and parades include the traditional clothes of the Asturian peasant. Perhaps their most striking elements are the peaked hat and, in this case, the madreñas *(clogs).*

Las Gentes, la Vida / The People, the Life

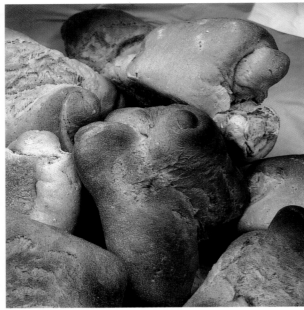

En esta página: la Asturias campesina tiene sus imágenes, que perduran en la memoria colectiva, como la siega a guadaña, el viejo pan de escanda o la siempre hermosa figura de la manzana. Página de al lado, reconstrucción de una vivienda campesina en el Museo Etnográfico de Quirós (arriba); un tonel de sidra, un hórreo con ristras de maíz ¡qué mejor resumen de la Asturias rural!

This page: the farming side of Asturias has its own particular images, which are part of our heritage, such as the use of the scythe, wheat bread or the ever beautiful shape of the apple. Opposite page: reconstruction of a peasant house in the Ethnographical Museum of Quirós (above); a vat of cider, an hórreo *(raised granary) with strips of corn. The best summary of rural Asturias!*

La minería del carbón constituye otro de los grandes elementos identificadores de Asturias. Leyenda y tragedia, resonancia de conflictos laborales, factor de progreso antes y de preocupación social ahora, la mina y sus gentes han sido la expresión de un modo de vida que ha marcado para siempre las cuencas centrales de la región. Asturias les rinde homenaje en el gran Museo de la Minería, en El Entrego.

Coal mining is another of the great identifiers of Asturias. Legend and tragedy, labour conflicts, once considered progress and now a source of social concern, the mine and its people have expressed a way of life that has permanently marked the region's central mining areas. Asturias pays homage to them in the Mining Museum, in El Entrego.

● Las Gentes, la Vida / The People, the Life

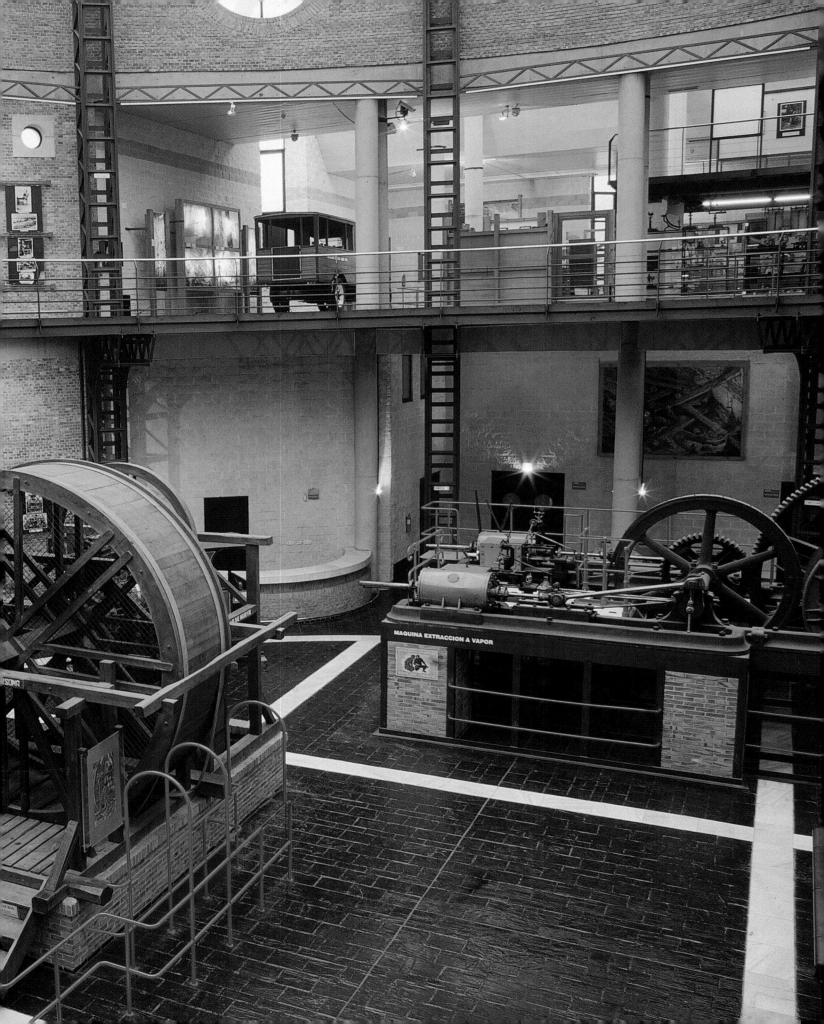

MAQUINA EXTRACCION A VAPOR

Las actividades marineras, sean la pesca de altura y bajura, la captura de ballenas, astilleros o la industria conservera, constituyen capítulos inseparables del ser de Asturias. De todo ello se guarda memoria en museos como el de Las Anclas, en Salinas (arriba), o en el espléndido Museo Marítimo de Luanco (derecha).

Seafaring activities, whether deep or shallow sea fishing, whale-hunting, shipyards or the canning industry, are inseparable chapters of the history of Asturias. Their memories are kept in museums such as that of Las Anclas, in Salinas (above), or in the splendid Maritime Museum of Luanco (right).

Las Gentes, la Vida / The People, the Life

Las Gentes, la Vida / The People, the Life

A la izquierda, viejos oficios que sostuvieron la economía antes de las revoluciones industriales y que hoy sobreviven en aras de su condición artesanal. Tejedores, alfareros, herreros y otros muchos aún siguen ejerciendo sus saberes y enriqueciendo nuestro patrimonio popular.

To the left, old professions that sustained the economy before the industrial revolutions and which nowadays survive as crafts. Weavers, potters, blacksmiths and many others still exercise their skills, enriching our popular patrimony.

En esta página, desde el pequeño mercadillo de pueblo hasta la gran Feria Internacional de Muestras, Asturias ofrece una amplia gama de manifestaciones del viejo oficio de vender y comprar. Arriba: mercado del Fontán, Oviedo. Centro: Mercado Astur. Abajo: Feria de Muestras, Gijón.

This page: from the small village market to the great International Samples fair, Asturias offers a wide variety of examples of the age-old profession of buying and selling. Above: the Fontán market, Oviedo. Centre: the Astur Market. Below: the Samples Fair, Gijón.

Sin duda la manifestación deportiva más universal de Asturias es el Descenso del Sella, que se celebra cada primer sábado de agosto entre Arriondas y Ribadesella. Mezcla afortunada de competición y romería, el Descenso convoca cada año a miles de personas (izquierda). Pero también las manifestaciones puramente deportivas, especialmente el fútbol, tienen sus escenarios míticos. Arriba: el estadio de El Molinón, en Gijón. Sobre estas líneas: el nuevo Carlos Tartiere, en Oviedo.

Undoubtedly, the most well-known example of sports in Asturias is the descent of the Sella, which takes place every first Saturday of August between Arriondas and Ribadesella. A merry mix of competition and festival, the Descent brings together thousands of people (left) every year. Pure sporting activities, especially football, also have their mythical stage. Above: the stadium of El Molinón, in Gijón. Above these lines: the new Carlos Tartiere stadium, in Oviedo.

PUEBLOS Y CIUDADES

Villages and Towns

Pueblos y Ciudades

Asturias presenta una acusada demografía urbana que contrasta con los índices de las zonas rurales. Solamente las tres principales ciudades –Gijón, Oviedo, y Avilés– acogen ya más de la mitad del algo más del millón de habitantes de todo el Principado. Buena parte del resto reside en las cuencas mineras y en la zona costera, quedando para las zonas del interior pequeños núcleos de población, que se erigen en cabecera de comarca, y un sinfín de aldeas dispersas, que muchas veces no pasan de simples caseríos.

Oviedo, nacida de un monasterio fundado en el 761 por los monjes Fromestano y Máximo en una llanura al pie del Naranco, fue convertida en capital del recién nacido reino de Asturias en el 812 por Alfonso II el Casto. Desde entonces ha ejercido su función, ampliándola a otros reinos menos tangibles, como el económico, el cultural y el eclesiástico. Oviedo nació como ciudad de carácter real, fue luego aristocrática, después burguesa y ahora mesocrática, sin que esta sucesión haya de interpretarse como un descenso en su valoración, ni mucho menos. Hoy es, más que nunca, una ciudad de aspecto señorial, limpia y elegante, con una intensa vida cultural y un cuidado centro histórico agrupado en torno a la catedral, la misma catedral en la que la Regenta, que saluda en la plaza al visitante con su gesto de bronce, trataba de calmar las angustias de su alma.

Gijón, además de ser la mayor ciudad del Principado, es también su capital marítima y turística. Tiene un origen romano, aunque su antecedente primero fue un castro anterior levantado por la tribu de los cilúrnigos en el cabo Torres. Tras la conquista de Augusto se funda la ciudad actual en la península de Cimadevilla, y poco después se la rodea de una muralla, que ha sido reconstruida en parte. Se conservan las termas, convertidas hoy en museo de los orígenes de la ciudad. El Gijón de hoy es una ciudad moderna y alegre, de gran atractivo veraniego, que ofrece en su bahía una de las grandes playas del Cantábrico, y en sus alrededores una inigualable campiña, presidida por la majestuosa imagen de la Universidad Laboral, el monumento más atípico y espectacular de su tiempo. Por tener, tiene hasta un cierto afán de extremosidad que el forastero agradece, porque ampara todas las pretensiones: por ejemplo, es la ciudad que tiene el mayor numero de sidrerías, y al mismo tiempo el más numeroso conjunto museístico de Asturias.

Avilés ha vivido una transformación urbana y social difícilmente comparable con cualquiera que haya vivido ciudad alguna en los tiempos recientes. La apacible y señorial villa marinera de apenas veinte mil habitantes, que se recostaba en la orilla izquierda de su espléndida ría, se convirtió en los años cincuenta, tras la instalación del complejo siderúrgico de Ensidesa, en una gran ciudad industrial. Sin embargo, ni las chimeneas, ni las barriadas industriales, ni la incorporación de nuevas clases sociales pudieron diluir su poso histórico ni alterar su imagen urbana tradicional. Hoy la siderurgia se ha reconvertido, los que llegaron con ella ya son avilesinos de tercera generación, y la ciudad puede seguir mostrando su rico casco histórico.

En las cuencas mineras el paisaje urbano se adapta más que en ningún otro sitio al medio de subsistencia. Las poblaciones buscan las cercanías de las explotaciones y aprovechan el escaso espacio del valle para estirarse a lo largo hasta crear un núcleo ininterrumpido, que en ocasiones sólo se divide por límites puramente administrativos. Esto es patente en la cuenca del Nalón, convertida casi toda ella en una larga y estrecha conurbación: Lada, Sama, La Felguera, Ciaño, Sotrondio, Blimea y, algo más allá, Pola de Laviana. Río arriba, el parque natural de Redes ofrece uno de los espacios menos alterados de la montaña asturiana. La cuenca del Nalón guarda la memoria de su pasado en el Museo de la Minería, en El Entrego, de visita imprescindible.

El centro de la cuenca del Caudal es Mieres, de origen antiguo y factura moderna, industrial, algo venida a menos tras la marcha de su siderurgia, pero animada como siempre. A partir de Ujo, los ríos Aller y Lena forman sus respectivos valles, camino ya de la cordillera. Pola de Lena tiene muy cerca la ermita prerrománica de Santa Cristina, del siglo IX, y más arriba el puerto de Pajares, abierto al ferrocarril en 1884, después de obligar a realizar una de las mayores obras de ingeniería ferroviaria de toda Europa. En Aller, los pueblos se suceden sin grandes pretensiones hasta el puerto de San Isidro.

La zona costera ofrece el doble atractivo de su paisaje y de sus pueblos, abiertos al turismo sin perder su carácter propio. En la costa occidental, Castropol y Figueras, en un espectacular entorno sobre la ría del Eo; Tapia de Casariego; Navia; Puerto de Vega; Luarca, hermosa y animada; Cudillero, acaso el arquetipo de pueblo pesquero; Pravia y Muros, sobre la desembocadura del Nalón. En la oriental, Luanco, con su interesante Museo Marítimo; Candás, otra villa marinera; Villaviciosa, en el fondo de su ría, capital manzanera y poseedora del mejor románico de la región; Lastres y Tazones, también de vieja tradición marinera; Colunga; Ribadesella, en el estuario del Sella, que tiene en la cueva de Tito Bustillo uno de los grandes santuarios del arte paleolítico; Llanes, convertida en la capital turística del Oriente gracias a sus playas, a su moderna red hotelera y a su oferta artística, que abarca desde el ídolo prehistórico de Peña Tú hasta *Los cubos de la memoria,* la última obra de Agustín Ibarrola; Colombres, con un completo conjunto de arquitectura indiana: uno de sus edificios, la soberbia Quinta Guadalupe, acoge el Museo de Indianos.

El interior de esta zona oriental está determinado por la existencia de un largo surco entre montañas, que ejerce de gran eje de las comunicaciones y al mismo tiempo de línea de los asentamientos urbanos. Es amplio y desahogado desde Oviedo hasta el Sella; luego, con la cercanía del Cuera, se vuelve angosto como un desfiladero hasta Panes. Las poblaciones se van sucediendo a lo largo de la carretera: Pola de Siero; Nava, que afirma su condición de capital sidrera en su Museo de la Sidra; Infiesto; Arriondas; Cangas de Onís, primera capital de Asturias, antesala del Parque Nacional de los Picos de Europa y villa concurrida en todo tiempo; Carreña y Arenas de Cabrales, de universal resonancia quesera; Panes, junto al Deva. Y, por supuesto, Covadonga, mito, símbolo y, para todos, un lugar de enorme belleza natural.

Hacia el interior del Occidente, las tierras están menos pobladas. Los ríos son más largos y forman valles de gran belleza, en los que se asientan los pueblos. En el Eo, Taramundi, que en los últimos años se ha convertido en un destacado centro de turismo rural, y Vegadeo. En el Navia, San Antolín de Ibias; Grandas de Salime, cuyo Museo Etnográfico es el más importante de Asturias en su género; y Boal. En el Narcea, Cangas del Narcea, punto de partida para visitar la gran Reserva Natural de Muniellos; Corias, con su grandioso monasterio; Pola de Allande; Tineo; Salas, villa monumental al pie de su colegiata, que alberga el mausoleo de Fernando de Valdés, de Pompeio Leoni; y Cornellana, centro salmonero, nacido en torno a su monasterio del siglo XII. En el Pigüeña, Pola de Somiedo, al lado del Parque Natural de su nombre, y Belmonte. Y en otros ríos: Grado, de larga tradición comercial; San Martín de Teverga, con su colegiata del siglo XI; Bárzana de Quirós; Proaza; y Trubia, viejo nombre ligado a sus famosas fundiciones de cañones.

Villages and Towns

Asturias has a very urban demography which contrasts with the levels of its rural areas. The three main cities alone –Gijón, Oviedo, and Avilés– have over one million of the principality's inhabitants. A large part of the rest lives in the mining and coastal areas, with small groups of the population living in the interior, in settlements which are considered as the main villages in each area, and an unending number of different villages that are often nothing more than a group of houses.

Oviedo, which originated from a monastery that was founded in 761 by Brothers Fromestano and Máximo on a plain at the foot of El Naranco, became the capital of the recently created kingdom of Asturias in 812 by Alphonso II the Chaste. Since then, it has exercised its function and extended it to less tangible kingdoms, such as the economic, cultural and ecclesiastic domains. Oviedo came into life as a royal city, then it was aristocratic, later bourgeois and now, it is mesocratic. These changes should not be taken as a decline – far from it. Today, more than ever, it is a city with a stately appearance, it is clean and elegant, and has an intense cultural life and a looked after historical quarter set around its cathedral, the same cathedral in which La Regenta, who greets the visitor with her bronze face, sought to calm the anguish of her soul.

Besides being the largest city in the principality, Gijón is also its maritime and tourist capital. Its origin is Roman, although before then it was a hill-fort built by an ancient tribe on Cape Torres. After the conquest by Augustus, the current city was founded on the peninsula of Cimadevilla, and shortly afterwards, it was surrounded by a wall, part of which has been reconstructed. The thermal baths have been conserved and are today a museum of the city's origins. Nowadays, Gijón is a modern, bright city, particularly attractive to summer tourism, whose bay offers one of the large beaches of the Cantabrian. Its surroundings hold an unbeatable countryside, dominated by the majesty of the Universidad Laboral, the most original and spectacular monument of its time. It has a certain tendency to being extreme, which is welcomed by the outsider, because it helps along all ideas: for example, it is the city that, in the whole region of Asturias, has the greatest number of cider bars, and at the same time, the largest number of museums.

Avilés has undergone a social and urban transformation more intense than any other recently transformed city. The peaceful and stately sea town of around twenty thousand inhabitants, which stretched out on the left bank of its splendid estuary, became a large industrial city in the fifties, with the installation of the Endesa iron and steel works. However, neither the chimneys, nor the industrial estates, nor the incorporation of new social classes managed to dilute its historic past nor alter its traditional urban image. Nowadays, the iron and steel works have been reconverted, those who came to work there are now third-generation inhabitants of Avilés, and the city continues to boast its wealthy historical quarter.

In the mining areas, the urban landscape is adapted to the means of survival more than in any other place. The villages strive to be close to the mines and make the most of the little space the valley offers to stretch out lengthways until an uninterrupted municipality has been created. On occasions, these villages are separated from each other purely for administrative reasons. This is the pattern in the Nalón basin, which has been almost entirely converted into a long narrow agglomeration of villages and small towns: Lada, Sama, La Felguera, Ciaño, Sotrondio, Blimea and somewhat further on, Pola de Laviana. Upstream, the Redes Natural Park offers one of the less altered areas of the Asturian mountains. The Nalón basin keeps the memory of its past in the Mining Museum in El Entrego, which is a must for visitors.

The centre of the Caudal basin is Mieres, of ancient origin and modern appearance, industrial, somewhat degenerated compared to what it was after the close of the iron and steel works, but as lively as ever. From Ujo, the Aller and Lena rivers form their respective valleys on their way from the mountain range. Pola de Lena is close to the 9th-century pre-Romanesque shrine of Santa Cristina, and further up from the Pajares pass, which was opened to the railway in 1884, after finishing one of the largest railway engineering works in all Europe. In Aller, the villages follow on after each other unassumingly up to the San Isidro pass.

The coastal area offers the double attraction of its landscape and its villages, open to tourism without detriment to their character. To the west of the coast, Castropol and Figueras, in a spectacular environment on the Eo estuary; Tapia de Casariego; Navia; Puerto de Vega; Luarca, beautiful and lively; Cudillero, perhaps the archetype of all fishing villages; Pravia and Muros, on the mouth of the Nalón. To the east, Luanco, with its interesting Maritime

Museum; Candás, another fishing village; Villaviciosa, at the end of an estuary, the main apple producing village, which has the best examples of the Romanesque style in the region; Lastres and Tazones, also traditionally fishing villages; Colunga; Ribadesella, in the Sella estuary, whose cave of Tito Bustillo is one of the great sanctuaries of Palaeolithic art; Llanes, which has become the tourist capital of the east thanks to its beaches, to its modern hotel network and its artistic offerings, which range from the prehistoric idol of Peña Tú to the Memory Cubes by Agustín Ibarrola; Colombres, with a complete ensemble of Indiano architecture: one of its buildings, the superb Quinta Guadalupe, is home to the Indiano Museum.

The interior of this eastern area is determined by the existence of a long groove between mountains, which acts as a great communications axis and is also the line on which the urban settlements are situated. It is large and spacious, from Oviedo to the Sella; then, as it approaches the Cuera, it becomes as narrow as a gorge up to Panes. The villages follow on from one another along the road: Pola de Siero, Nava, which affirms its status as cider capital with its Cider Museum; Infiesto; Arriondas; Cangas de Onís, the first capital of Asturias, antechamber to the national Park of the Picos de Europa and a busy village at all times; Carreña and Arenas de Cabrales, world famous for its cheeses; Panes, on the banks of the Deva. And, of course, Covadonga, mythical, symbol and, for everyone, a place of great beauty.

Towards the interior of the west, the land is less populated. The rivers are longer and form valleys of great beauty, in which the villages are situated. On the Eo, Taramundi, which in recent years has become an important centre for rural tourism, and Vegadeo. On the Navia, San Antolín de Ibias; Grandas de Salime, whose Ethnographical Museum is the largest of its kind in Asturias, and Boal. On the Narcea, Cangas del Narcea, starting point for a visit to the great Natural Reserve of Muniellos; Corias, with its grandiose monastery; Pola de Allande; Tineo; Salas, a monumental village at the foot of its collegiate church, which holds the mausoleum of Fernando de Valdés, Pompeio Leoni, and Cornellana, a salmon-fishing centre, which arose around its 12th-century monastery. On the Pigüeña, Pola de Somiedo, next to the natural Park of the same name, and Belmonte. And on other rivers: Grado, with its longstanding tradition of trade and commerce; San Martín de Teverga, with its 11th-century collegiate church; Bárzana de Quirós; Proaza and Trubia, an old name linked to its famous canon foundries.

Oviedo,

La estatua de Pedro Menéndez de Avilés, conquistador y primer adelantado de La Florida, preside el parque del Muelle en su villa natal. En la página del al lado: vista parcial de la plaza del Fontán, en Oviedo, antiguo mercado que hoy combina su antigua función con la de zona de esparcimiento.

The statue of Pedro Menéndez de Avilés, conquistador and the first pioneer in Florida, dominates the park of El Muelle in his hometown. Opposite page: partial view of the Plaza del Fontán, in Oviedo, an old marketplace that nowadays combines its former function with that of a leisure area.

Gijón y Avilés
Oviedo, Gijón and Avilés

La plaza de la Escandalera puede considerarse el centro del Oviedo decimonónico, cuando la ciudad comienza a proyectarse definitivamente más allá del viejo recinto medieval. En ella se encuentra una *Maternidad* de Fernando Botero.

Nowadays, the Plaza de la Escandalera could be considered as the centre of 19th-century Oviedo, when the city began to extend beyond the old medieval enclosure. It contains a Maternidad *(Maternity) by Fernando Botero.*

Página de al lado,
la iglesia barroca de San Isidoro preside, junto al Ayuntamiento, la plaza mayor de Oviedo, denominada de la Constitución.

Opposite page: together with the City Hall, the Baroque church of San Isidoro dominates the main square of Oviedo, known as the Plaza de la Constitución.

Oviedo rinde homenaje a su personaje
más universal: Ana Ozores, *la Regenta*.

*Oviedo pays homage to its most universal character:
Ana Ozores,* la Regenta.

A finales del siglo XIX Oviedo comienza, a impulso de la pujante burguesía, una gran transformación urbanística. Se construyen edificios como el sobrio y elegante teatro Campoamor (1892) (arriba), escenario de la entrega de los premios Príncipe de Asturias; se abren nuevas plazas en el apiñado caserío medieval, como la de la Catedral (abajo); y se cambia la fisonomía de las calles con viviendas de fachadas de diversos estilos (a la derecha, calle de Cimadevilla).

At the end of the 19th century, Oviedo began a great urban transformation under the impulse of the up and coming bourgeoisie. Buildings such as the sober and elegant Campoamor Theatre (1892) (above), stage for the Príncipe de Asturias awards ceremony, were built; new squares were opened in the populated medieval area, such as the Plaza de la Catedral (below), and the appearance of the streets was altered with houses with façades with different styles (to the right, Calle de Cimadevilla).

Oviedo es una ciudad de plazas. Plazas hechas a tiralíneas, como la Escandalera o la de España, irregulares, como la de la Constitución, solemnes, como la de la Catedral, mercantiles, como la del Fontán, recoletas, como la de Trascorrales o esta de la Corrada del Obispo (arriba) y bulliciosas, como la de Riego (página siguiente), que se abre al lado mismo de la muralla medieval.

Oviedo is a city of squares. Squares made with a set square, such as Plaza de la Escandalera or Plaza de España, irregular in shape, such as Plaza la Constitución, solemn, such as Plaza de la Catedral, commercial, such as Plaza del Fontán, hidden, such as Plaza de Trascorrales or this one, Plaza de la Corrada del Obispo (above) and busy squares, such as Plaza de Riego (next page), which opens up right next to the medieval walls.

Pueblos y Ciudades / Villages and Towns

Rincones del Oviedo señorial. Arriba: fachada del antiguo Real Hospicio, hoy hotel de la Reconquista. Centro: paseo de los Álamos, lugar de encuentros y esparcimiento. Abajo: parque de San Francisco, gran mancha verde en el corazón de la ciudad. Al lado: plaza de Porlier, con *El regreso de Williams B. Arrensberg,* de Eduardo Úrculo.

Places in the stately Oviedo. Above: the façade of the former Real Hospicio *(Royal Hospice), which is today the* Hotel de la Reconquista. *Centre: Paseo de los Álamos, a place for meeting people and leisure. Below: the San Francisco Park, a large green area in the heart of the city. To the side: Plaza de Porlier, with* The Return of Williams B. Arrensberg, *by Eduardo Úrculo.*

Izquierda: la pequeña plaza de Trascorrales, en el antiguo barrio artesanal y comercial, rodeada de casas en tonos apastelados. En el centro, *La Lechera,* de Manuel Linares. Abajo: el moderno auditorio Príncipe Felipe armoniza sin estridencias en su entorno clasicista.

Left: the small Plaza de Trascorrales, in the former craft and commercial quarter, surrounded by houses in pastel shades. In the centre, La Lechera, by Manuel Linares. Below: the modern Príncipe Felipe auditorium stands in strident-free harmony amidst its classicist surroundings.

Página de al lado: el puerto local de Gijón (arriba) está presidido por la poderosa fachada del palacio de Revillagigedo, muestra de la arquitectura palacial barroca asturiana y del afán de la aristocracia gijonesa del XVIII de reafirmar su presencia urbana. Abajo: con la construcción del puerto de El Musel, a comienzos del siglo XX, Gijón se convirtió en uno de los centros de mayor actividad portuaria de España y, desde luego, en el de mayor tráfico carbonero.

Opposite page: the local port of Gijón (above) is dominated by the strength of the façade of the palace of Revillagigedo, an example of the Baroque palatial architecture of Asturias and of the desire of the 18th-century aristocracy of Gijón to reaffirm its urban presence. Below: with the construction of the port of El Musel at the beginning of the 20th century, Gijón became one of the busiest ports in Spain and since then it has had the greatest coal-transport traffic.

Gijón, con 270.000 habitantes, es la mayor ciudad del Principado y su capital turística y veraniega. Su condición marítima la definen dos amplias bahías separadas por la península de Santa Catalina, que acoge el núcleo primitivo de la ciudad. Izquierda: iglesia de San Pedro, en el extremo de la bahía de San Lorenzo. Abajo: vista de la costa gijonesa. Doble página siguiente: el puerto deportivo.

Gijón, with 270,000 inhabitants, is the largest city in the principality and constitutes its main tourist and summer resort. Its location on the coast is defined by two wide bays that are separated by the Santa Catalina peninsula, which harbours the original centre of the city. Left: the church of San Pedro, on the tip of San Lorenzo bay. Below: a view of the coast of Gijón. Following double page: the marina.

Izquierda, viejo barrio de pescadores de Cimadevilla, hoy agradable lugar para callejear y degustar los frutos del mar. Derecha, Gijón, *Gigia*, fue fundada en el siglo I d. C. a partir del primitivo *Noega*. En el Campo Valdés, al lado de las termas romanas, la estatua de Augusto da fe de este origen romano. Abajo, Jardín Botánico Atlántico de Gijón, singular espacio especializado en la flora y la vegetación de los territorios atlánticos.

Left, the old quarter of the fishermen of Cimadevilla, nowadays a pleasant place for strolling around the streets and enjoying seafood. Right: Gijón was founded in the 1st century AC, based on the original Noega. In the Campo Valdés, next to the Roman baths, the statue of Augustus boasts its Roman origin. Below: the «Atlántico de Gijón» botanic garden is a unique place specialising in the flora and vegetation found in Atlantic regions.

Gijón. Arriba izquierda: iglesia neogótica
de San Lorenzo. Derecha: iglesia de San Pedro.
Abajo: soportales de la plaza Mayor. Sobre estas líneas:
terrazas en la calle Corrida. Al lado: edificio de
influencia modernista en la plaza del Instituto.

*Gijón. Above left: the neo-Gothic church of San Lorenzo.
Right: the church of San Pedro. Below: arcades in the
Plaza mayor. Above these lines: terraces in Calle Corrida.
To the side: a modernist building in the Plaza del Instituto.*

Vista general de Avilés. La intensa industrialización registrada en Asturias a partir de la década de los cincuenta, especialmente con la instalación de la factoría de ENSIDESA, modificó por completo la fisonomía de esta pequeña villa marinera de apenas 20.000 habitantes, una transformación urbana y social difícilmente comparable con ninguna otra. Hoy, con sus 90.000 habitantes, es la tercera ciudad del Principado.

A general view of Avilés. The intense industrialisation in Asturias from the 50s, especially as a result of the installation of the ENSIDESA factory, completely modified the appearance of this small fishing village of around 20,000 inhabitants, an example of urban and social change that is not easily matched by any other. Nowadays, with its 90,000 inhabitants, it is the third-largest city of the principality.

La apacible villa de pescadores que era Avilés hasta los años cincuenta se transformó de pronto en un gran centro industrial, y su puerto (arriba derecha) en uno de los de mayor tráfico del Cantábrico. Sin embargo, supo mantener perfectamente conservado su importante casco histórico. Abajo: iglesia de San Nicolás de Bari, que conserva diversos elementos de su origen románico. Sobre estas líneas: fuente de los Siete Caños, junto a la iglesia anterior.

The peaceful fishing village of the Avilés of the 50s soon became a large industrial centre, and its port (above right) turned into one of the busiest on the Cantabrian coast. However, it managed to conserve its important historical quarter in perfect condition. Below: the church of San Nicolás de Bari, which conserves different elements of its Romanesque origin. Above these lines: the Siete Caños Fountain, next to the aforementioned church.

Son característicos de Avilés los largos soportales,
como los de la plaza de España (sobre estas líneas)
o de la calle de Rivero (derecha).

*Long arcades are typical in Avilés, such as those in Plaza
de España (above these lines) or in Calle de Rivero (right).*

Pueblos y Ciudades / Villages and Towns

Por

Edificios de Pravia.

Pravia Buildings.

El palacio de Miranda-Quirós, en Llanuces, Quirós, convertido hoy en establecimiento hotelero, es una de las numerosas muestras de arquitectura palaciega que la pequeña aristocracia rural levantó por toda Asturias, especialmente a partir del siglo XVII.

The palace of Miranda-Quirós, in Llanuces, Quirós, today converted into a hotel establishment, is one of the many examples of the palatial architecture the small rural aristocracy built all around Asturias, especially from the 17th century onwards.

Asturias
Around Asturias

Langreo (abajo) es el mayor núcleo urbano del valle del Nalón. El pico Remelende (arriba), en el parque natural de Redes, domina el valle del alto Nalón. La torre de la Quintana (al lado), en Ciaño, es una construcción circular de carácter defensivo (siglo XIV, con remodelaciones posteriores).

Langreo (below) is the greatest urban municipality in the Nalón Valley. The Remelende Peak (above), in the natural park of Redes, dominates the valley of the upper Nalón. The tower of La Quintana (to the side), in Ciaño, is a circular defence construction (14th century, with later modifications).

Pueblos y Ciudades / Villages and Towns

The Nalón is the great Asturian river and is the longest on the Cantabrian side. Its basin, from its birth in the Tarna pass to its mouth at the Pravia estuary, takes up the entire central area of the principality. Below: the Nalón as it passes below the medieval bridge of La Chalana, in Laviana.

El Nalón es el gran río asturiano y el de mayor longitud de toda la vertiente cantábrica. Su cuenca, desde su nacimiento en el puerto de Tarna hasta su desembocadura en la ría de Pravia, ocupa toda la zona central del Principado. Abajo: el Nalón a su paso por el puente medieval de La Chalana, en Laviana.

Mieres, capital del valle del Caudal, es una ciudad de origen antiguo y factura moderna, desarrollada al amparo de la explotación del carbón y de la industria siderúrgica. Siempre ha mantenido su carácter de villa animada y acogedora.

Mieres, the main town in the valley of El Caudal has a distant origin and a modern appearance, and grew under the wings of the coal and iron and steel industries. It has always maintained its personality as a lively and friendly village.

Página de al lado, la torre de Soto, que acogió los ocultos amores de Alfonso VII y doña Gontrodo, destaca sobre el caserío de este pueblo del alto Aller.

Opposite page: the Soto tower, which was home to the hidden romances of Alphonso VII and doña Gontrodo, stands out above the buildings of this village on the upper Aller.

En un promontorio sobre la ría del Eo (arriba), Castropol une a su marco natural un notable conjunto de edificios nobles, como el Teatro-Casino (abajo). Vieja villa marinera y hoy centro de atracción veraniega, Tapia de Casariego apiña su antiguo caserío en torno a la pequeña ensenada que abriga el puerto (derecha).

On a promontory on the estuary of the Eo (above), Castropol combines its natural surroundings with a noteworthy ensemble of stately buildings, such as the Theatre-Casino (below). An old fishing village and nowadays a summer resort, Tapia de Casariego piles together its old buildings around the small cove that protects the harbour (right).

● Pueblos y Ciudades / Villages and Towns

Navia participa del ámbito rural y del marinero. Arriba izquierda: Palacio de Anleo, medieval, aunque reconstruido en el siglo XVIII. Arriba derecha: Mirador de los Caballeros, en Puerto de Vega. Abajo: vista de Navia y de su ría. Derecha, Luarca es una de las villas de mayor personalidad de toda la costa asturiana.

Navia has both a rural and seafaring atmosphere. Above left: the Palace of Anleo, which, although from the Middle Ages, was rebuilt in the 18th century. Above right: the Viewpoint of Los Caballeros, in Puerto de Vega. Below: a view of Navia and its estuary. Right: Luarca is one of the liveliest villages of the Asturian coast.

Pueblos y Ciudades / Villages and Towns

Colegiata de Pravia, capital del bajo Nalón (arriba). Pravia conserva buenas muestras de arquitectura indiana, como esta casa, en Somado (abajo). A la derecha, emplazado en una estrecha ensenada, que le obliga a extender su caserío por la ladera de la montaña a modo de gran teatro, Cudillero es sin duda uno de los pueblos más pintorescos de la costa asturiana.

Collegiate church of Pravia, the main town on the lower Nalón (above). Pravia conserves good examples of indiano *architecture, such as this house in Somado (below). To the right, located in a narrow cove which forces it to spread out its buildings along the slopes of the mountain like the seating at a theatre, Cudillero is unquestionably one of the most picturesque villages on the Asturian coast.*

El Nalón forma en su desembocadura una larga ría, en cuya margen izquierda se asientan San Esteban de Pravia y Muros del Nalón (arriba), mientras que en la derecha se encuentra la villa pesquera de San Juan de la Arena (sobre estas líneas).

At its mouth, the Nalón forms a long estuary, on the left shore of which are San Esteban de Pravia and Muros del Nalón (above), and on the right is the fishing village of San Juan de la Arena (above these lines).

Pueblos y Ciudades / Villages and Towns

Vista parcial de Luanco
y de su paseo marítimo.
La capital del municipio de
Gozón es una hermosa villa
que se ha convertido en un
importante centro de veraneo.

*Partial view of Luanco
and its sea front.
The main town of the municipal
area of Gozón is a beautiful
village that has become an
important summer resort.*

Arriba: Candás, fachada del museo dedicado al escultor Antonio Rodríguez, *Antón* (1911-1937), artista de breve pero intensa obra. Abajo y al lado: Tazones es otro de los típicos pueblecitos de pescadores que adornan la costa asturiana. Aquí pisó por primera vez tierra española el emperador Carlos V en 1517.

Above: Candás, the façade of the museum dedicated to the sculptor Antonio Rodríguez, Antón *(1911-1937), an artist who made a brief but intense contribution with his works.*
Below and to the side: Tazones is another of the typical fishing villages that adorn the Asturian coast. It was here where the emperor Charles V first set foot on Spanish territory in 1517.

Pueblos y Ciudades / Villages and Towns

Izquierda: El Jurásico asturiano, con miles de fósiles en la Costa Oriental, está reflejado en el MUJA (Museo del Jurásico de Asturias), en la rasa de San Telmo (Colunga). Arriba, Lastres extiende su caserío sobre un pequeño promontorio. Su puerto es uno de los de mayor actividad pesquera de Asturias. Doble página siguiente: *Los cubos de la memoria*, de Agustín Ibarrola en el puerto de Llanes.

Left: the Asturian Jurassic, the period from which thousands of fossils originate along the Eastern Coast, is reflected in the MUJA (Jurassic Museum of Asturias), in San Telmo (Colunga). Above: Lastres extends its buildings along a small promontory. It has one of the busiest fishing ports of Asturias. Following double page: Los cubos de la memoria (The Memory Cubes), by Agustín Ibarrola in the port of Llanes.

Arriba, Ribadesella se asienta en el estuario que forma
la desembocadura del Sella, que le sirve de puerto.
Al lado, la antigua muralla de Llanes cierra el primitivo
espacio urbano de esta señorial villa. Abajo derecha,
parque de Colombres y la parroquia de Santa María.

*Above, Ribadesella sits on the estuary that forms the
mouth of the Sella, which is used as a port. To the side,
the ancient walls of Llanes enclose the original urban
area of this stately village. Below right: the park
of Colombres and the parish church of Santa María.*

Arriba, muchas poblaciones asturianas tienen su origen en la carta-puebla del rey Alfonso X en 1270. Es el caso de las Polas, como la de Siero. Vista parcial. Abajo, Santuario de la Virgen de la Cueva, en las afueras de Infiesto.

Above, the origin of many Asturian villages lies in the Common Charter of King Alphonso X in 1270. This is the case of the villages whose names begin with the word Pola, such as Pola de Siero. Partial view. Below, the Sanctuary of La Virgen de la Cueva, on the outskirts of Infiesto.

Pueblos y Ciudades / Villages and Towns

Arriba, Palacio de la Ferrería, en Nava. A la izquierda, Arriondas. Abajo, Cangas de Onís. Página de al lado, Arenas de Cabrales.

Above, the palace of La Ferrería, in Nava. To the left, Arriondas. Below, Cangas de Onís. Opposite page, Arenas de Cabrales.

Covadonga reúne en su nombre una serie de
connotaciones que justifican la enorme fama
de la que goza: su importancia histórica como
lugar donde se inició la recuperación de España
tras la invasión musulmana, su carácter
de símbolo y punto de encuentro para los
asturianos, su condición de centro religioso
mariano y un excepcional marco natural,
que lo convierte en un inmenso altar de piedra
y verdor. La basílica y la cueva de la Virgen
pequeñina y galana atraen cada año a miles
de peregrinos y turistas de todo tipo, que saben
que esta es una visita ineludible.

*The name of the village of Covadonga holds a
series of connotations that justify its widespread
fame: its historical importance as the starting
place of the reconquest of Spain after the
Moorish invasion, its character as a symbol and
meeting point for the people of Asturias, its
condition as a religious centre for the worship
of Our Lady and its exceptional natural
surroundings turn it into an immense altar of
stone and green. Every year, the basilica and the
cave of the small and elegant Our Lady attract
thousands of pilgrims and tourists of all kinds,
in the knowledge that this visit is unavoidable.*

Página de la izquierda, el alto Nalón ofrece unos valles de gran belleza y unos pastos frescos y jugosos, donde pastan ovejas y la afamada vaca casina. Abajo: vista de Campo de Caso. En esta página, en los ámbitos rurales apartados el agua era la fuente de energía para la primitiva industria artesana. Arriba: mazo hidráulico en Los Teixois, Taramundi. Abajo, Vegadeo, en el extremo occidental de Asturias, es cabecera de la rica comarca agrícola y ganadera del Eo.

Left-hand page: the upper Nalón boasts valleys of great beauty and fresh and lush pastures, where both sheep and the famous casina *cow graze. Below: a view of Campo de Caso. This page: in the isolated rural areas, water was the source of energy for the primitive craft industry. Above: hydraulic hammer in Los Teixois, Taramundi. Below, Vegadeo, in the west of Asturias, is the main town of the rich agricultural and cattle-farming region of the Eo.*

Pueblos y Ciudades / Villages and Towns ●

En la página de al lado, la comarca de los Oscos, tradicionalmente aislada, vive un fuerte desarrollo del turismo rural, que acude en busca de la belleza de sus paisajes y de su patrimonio histórico y etnográfico. Arriba y centro: plaza y casona del Oso, en San Martín de Oscos. Abajo: palacio de Villanueva de Oscos. En esta página, en la zona más suroccidental de Asturias, la comarca de Ibias mantiene su carácter rural. Vista general de San Antolín de Ibias.

Opposite page: the region of Los Oscos, traditionally isolated, is undergoing an important development in rural tourism, with tourists in search of the beauty of its landscapes and historical and ethnographical heritage. Above and centre: square and mansion of El Oso, in San Martín de Oscos. Below: the palace of Villanueva de Oscos. This page, in the southwest of Asturias, the region of Ibias maintains its rural character. General view of San Antolín de Ibias.

Arriba, Grandas de Salime se asoma al gran embalse sobre el Navia, en cuya central se puede admirar un gran panel pictórico con temas alusivos al progreso industrial. Es obra de los Vaquero, padre e hijo.

La villa de Cangas del Narcea (al lado) se apiña en torno a su colegiata, dedicada a Sta. María (extremo derecho, abajo). A tres kilómetros de Cangas, en Corias, se alza la maciza figura del monasterio de San Juan (extremo derecho, arriba), de inevitable evocación escurialense. De origen benedictino medieval, fue luego convento dominicano. Sufrió una transformación total en el siglo XVIII, que le dio su configuración actual. Tras ser adquirido recientemente por el Gobierno autonómico, se proyecta crear en él un establecimiento hostelero y un centro cultural.

*Above, Grandas de Salime looks out onto the great dam
over the Navia, whose power station boasts a panel
showing topics alluding to industrial progress. It is the
work of the Vaquero family, father and son.
The town of Cangas del Narcea (to the side)
is set around its collegiate church, which is dedicated
to St. Mary (far right, below). At a distance of three
kilometres from Cangas, in Corias, stands the solid figure
of the monastery of San Juan (far right, above), which is
unmistakeably reminiscent of El Escorial. Benedictine
medieval in origin, it later became a Dominican convent.
It underwent a complete transformation during the 18th
century giving it its present appearance. after having been
acquired recently by the autonomous Government, there
are plans to create a hotel and cultural centre.*

Arriba izquierda, el familiar hórreo se enseñorea de nuestras aldeas: San Emiliano (Allande). Arriba derecha, la pequeña villa de Salas conserva en buena medida el aspecto de sus tiempos pasados, como atestigua el torreón de los Valdés Salas (siglo XIV). Abajo, plaza y Ayuntamiento de Tineo, cabecera de una rica comarca ganadera en el occidente asturiano.

Above left, the familiar sight of the hórreo (raised granary) as it stands stately in our villages: San Emiliano (Allande). Above right, the small village of Salas conserves quite a lot of its past appearance: the tower of the Valdés Salas family (14th century). Below, square and Town Hall of Tineo, the main town in a rich cattle-farming region in western Asturias.

Pueblos y Ciudades / Villages and Towns

En las brañas altas, sobre todo en la zona de Somiedo, se hallan las «cabañas de teito». Son pequeñas construcciones de piedra cubiertas con una gruesa techumbre de escoba, para uso ya sólo ganadero.

In the high brañas, especially in the area of Somiedo, stand the «cabañas de teito». They are small stone buildings covered with a thick brushwood roof for cattle use only.

San Salvador de Cornellana conserva su cabecera románica; el resto es de la gran reforma del siglo XVII.

San Salvador de Cornellana conserves its Romanesque upper end; the rest is from the great reform of the 17th century.

Página de al lado, Belmonte (arriba) y Pola de Somiedo (abajo) son capitales de dos concejos de gran belleza natural,. Arriba, aspecto parcial de Grado, villa de gran tradición comercial. Abajo, típico corredor en una vivienda de Quirós.

Opposite page, Belmonte (above) and Pola de Somiedo (below) are the main towns of two regions of great natural beauty. Above, a partial view of Grado, a village with great commercial tradition. Below, a typical corridor in a house in Quirós.

Interior de la iglesia
románica de San Pedro
de Arrojo,
en Quirós, antiguo
templo monástico del
siglo XII.

*Interior of the
Romanesque church of
San Pedro de Arrojo, in
Quirós, an old monastic
church from the 12th
century.*

Páramo (Teverga). La difícil orografía del interior
asturiano obliga a aprovechar las fértiles vegas de los
valles que se abren entre las laderas rocosas, creando un
contraste entre el paisaje sumamente transformado de
los primeros y el aspecto natural de las segundas,
totalmente improductivas.

*Páramo (Teverga). The complicated lie of the land in the
interior of Asturias implies the need to make use of the
fertile plains that open up between the rocky slopes,
creating a contrast between the completely transformed
landscape of the former and the natural appearance of
the latter, which are completely unusable.*

Proaza (derecha) y su concejo, en el valle del río Trubia, cuentan con algunas casonas notables, como la de los González Tuñón (arriba). A la derecha, Bandujo, recostado en una alta ladera. Trubia (abajo) tiene su nombre íntimamente ligado a su famosa fábrica de cañones, fundada en 1794, que también condiciona su estructura urbana y la vida y economía de sus habitantes.

Proaza (right) and its region, in the valley of the river Trubia, boasts notable mansions, such as that of the González Tuñón family (above). To the right, Bandujo, set back on a high slope. The name of Trubia (below) is closely linked to its cannon factory, founded in 1794, which also conditions its urban structure and the way of life and economy of its inhabitants.

COMER Y CANTAR

Eating and Singing

Comer y Cantar

Comer bien en Asturias no es difícil. Y menos aún si lo que se busca son los sabores de siempre, pegados a la tierra y a la tradición de las viejas guisanderas. La cocina asturiana se caracteriza por su sencillez; huye de la sofisticación y de los ingredientes exóticos; busca ante todo la autenticidad del sabor, para lo que renuncia al empleo de especias y salsas ajenas; prefiere como modo de preparación el guiso, y se nutre básicamente de los tres ámbitos cercanos a sus fogones: la huerta, el establo y el mar. Es decir, la «cocina casera» de siempre; por algo fue creada por las amas de casa, y no por los profesionales de la gastronomía. Por supuesto, en la mayoría de los restaurantes se encuentran todas las posibilidades, incluyendo la creciente presencia de la llamada cocina de diseño.

Sin duda el plato más conocido de la cocina asturiana es la fabada, hoy convertida en objeto de deseo de todo visitante y que, en definitiva, no es más que la versión depurada de un viejo plato campesino. Una fabada bien hecha exige un exquisito cuidado en su elaboración y una gran calidad en sus ingredientes: alubias blancas, grandes y de piel fina, chorizo, morcilla, lacón y tocino. Mejor si se come de un día para otro, y mejor aún si se hace sin reservas de línea, atentos sólo a disfrutar del sabroso momento. Hoy han aparecido nuevas versiones, en las que los productos del cerdo son sustituidos por almejas, centollo, perdiz, liebre y cosas así, pero está por decidir si a eso se le puede llamar fabada con la misma propiedad.

El mar es el otro gran protagonista de la cocina asturiana, desde los humildes oricios hasta los mariscos de mayor alcurnia, como centollos, langostas, nécoras, percebes o las carísimas angulas, y desde las elaboradas recetas de pescado, como lubina al horno o besugo a la espalda, hasta el rey de los guisos marineros: la caldereta.

Y los quesos. Una región lechera como Asturias no podía dejar de tener una gran oferta quesera, para todos los gustos y paladares. Ahí están el conocido y personalísimo Cabrales, azul, intensamente oloroso y sabroso, hecho con leche de vaca, cabra y oveja, o los de Gamonedo, Los Beyos, La Peral, el de afuega'l pitu y tantos más. La calidad y adaptabilidad de algunos de estos quesos han hecho que amplíen su situación en los menús hasta constituirse en ingredientes básicos de otros platos. Unos escalopines al Cabrales, por ejemplo, se convierten en un bocado distinto y exquisito.

Dulces los hay por toda la región. Cada zona tiene los suyos propios, ligados unos a los ciclos festivos anuales, como las casadiellas navideñas o los frisuelos de Carnaval, y otros a la tradición del lugar, como las marañuelas de la zona del cabo Peñas. Aunque el postre por excelencia, sobre todo si se trata de rematar una fabada, es el arroz con leche.

Para beber, sidra, por supuesto. Vieja bebida de la tierra, tan vieja que ya Estrabón nos cuenta que era la habitual de los astures. Bebida alegre, refrescante, ligera, ideal para compartir, un punto ácida y modestamente alcohólica (entre 4° y 6°). La buena sidra comienza con una selección de manzanas dulces, ácidas y amargas, que le habrá de proporcionar la graduación justa. Tras el prensado, el mosto obtenido se deja fermentar durante unos meses en toneles antes de ser embotellado. La apertura de estos toneles, con su sidra nueva, da lugar a las tradicionales espichas, festejos que celebran el hecho en torno a una mesa. Luego, claro está, viene el escanciado de la botella, algo que requiere pulso, experiencia y cierta habilidad para dejar caer el líquido, justo en el borde del vaso desde la máxima altura que permita el brazo.

Si se trata de cantar, el asturiano estará dispuesto siempre. Una tonada, una vaqueira, una canción minera o marinera y hasta una añada, si se tercia. Es, sin embargo, una canción intimista, ceñida a sentimientos elementales y cotidianos, alejada siempre del desgarro y de las situaciones grandilocuentes, y próxima, si acaso, a la tragedia cercana del mar o la mina: «En el pozo María Luisa murieron siete mineros; mira, mira Maruxina, mira, mira, cómo vengo».

También la danza aparece claramente ligada a lo cotidiano, acaso porque en su origen tuviera un carácter ritual. Son danzas de estructura sencilla y ritmo continuo, que se acompañan con pandero, o gaita y tambor. La danza prima, quizá la más antigua de todas, se baila en corro, con los danzantes haciendo movimientos de rotación y vaivén, acaso como reminiscencia de una antigua danza guerrera o, como también se ha insinuado, en clara alusión al círculo sagrado de los celtas. En el pericote, danza llanisca, el hombre trata de conquistar, mediante sus movimientos, a dos doncellas, que se le deben resistir. El corri-corri es originario de Cabrales, y en él pueden rastrearse restos de los antiguos ritos de la fecundidad: un hombre trata de conquistar a seis mujeres, que le rechazan, pero cuando él se retira son ellas las que se le insinúan, para rechazarle de nuevo cuando las atiende. El eterno juego de la conquista amorosa previa a la consumación.

No hay romería sin gaita, un instrumento de discutido origen, que en Asturias tomó carta de naturaleza hasta hacerse indispensable en cualquier manifestación de su folclore. De hecho aquí se encuentra uno de los pocos museos que existen en el mundo dedicados a este instrumento: el Museo de la Gaita de Gijón.

Comer y cantar se le da bien al asturiano, y enseguida participa y hace participar a los demás de estos placeres. No hay reunión de amigos en que no se haga alguna de estas dos cosas o, casi siempre, las dos. Y, bien mirado, qué puede haber mejor que una mesa y una conversación entre amigos para rematar una visita a cualquier tierra, pero, sobre todo, a esta Asturias compleja y sencilla a la vez, de sabor a guiso y olor a mar, imponente en su naturaleza, trascendental en su historia y entrañable en sus gentes.

Eating and Singing

Eating well in Asturias is not difficult. And even less so if what you are looking for is traditional food from the land and cooked the traditional way. Asturian cuisine is characterised by its simplicity; it avoids sophistication and exotic ingredients; above all it looks for authentic taste and avoids the use of spices and sauces; it prefers the stew, and uses basically the three areas to which its kitchens have direct access: the land, the stable and the sea. In other words, traditional "home cooking", i.e. it was created by housewives and not by professional chefs. The mayority of restaurants do, of course, offer a wide variety to choose from including the increasing presence of so-called designer cuisine.

Undoubtedly, the best-known dish of Asturias is its *fabada* (bean stew), which has become the object of desire of all visitors and which, in short, is simply a perfected version of an old country worker's dish. A good *fabada* requires exquisite care in its preparation and quality ingredients: white haricot beans that are large and thin-skinned, chorizo, black pudding, bacon and pork fat. It is even better if eaten the day after it has been cooked, and better still if eaten without fretting over calories and diets, worrying only about enjoying the taste of the moment. Today, new versions have appeared, in which the pork products have been replaced by clams, spider crabs, partridge, hare, etc., but it has yet to be decided if these dishes can really be given the name of fabada.

The sea is the second great protagonist of Asturian cuisine, from the humble sea-urchins to the most noble of seafood, such as spider crabs, lobsters, small crabs, barnacles or the heavily-priced elvers, and from the elaborate fish dishes, such as baked sea bass or grilled sea bream, to the king of fish dishes: *caldereta* (fish stew).

And the cheeses. A great selection of cheeses for all tastes and palates in a dairy region such as Asturias is almost compulsory. The selection includes the very special Cabrales, blue, with an intense bouquet and taste, made with cow, goat and sheep milk, or the Gamonedo, Los Beyos, La Peral, the *afuega'l pitu* and numerous others. The quality and adaptability of some of these cheeses have led them to having a more important position on menus and to forming a basic ingredient of other dishes. Small steaks in Cabrales cheese sauce, for example, are both exquisite and different.

There are sweets all over the region. Each area has its own, associated with the annual festive cycles, such as the Christmas *casadiellas* or the Carnival *frisuelos*. There are others that are traditional in the places they are made, such as the *marañuelas* of the Cape Peñas area. However, the dessert par excellence, especially if it is to be eaten after a *fabada,* is rice pudding.

To drink, cider, of course. An old drink of the land, so old that Strabo writes of how usual it was among the Asturian people. It is a lively drink, refreshing, light and ideal for sharing, a little acidy and alcoholic (between 4° and 6°). Good cider begins with a selection of sweet, acidy and sour apples, which must provide the appropriate alcohol volume. After pressing, the must obtained is left to ferment for a few months in vats, before being bottled. The opening of these vats, with their new cider, is celebrated with the traditional espichas, celebrations of the event held around the table. Then, of course, the bottle must be *escanciado,* a skill requiring a steady hand, experience and the precision for pouring the cider on the edge of the glass from as high as the arm allows.

If singing is the game, the Asturian people are always ready. Any song, a cowhand's, miner's or fisherman's song, and even a contemporary song, if need be. However, the singing is intimate, linked to basic everyday feelings, always remote from brazenness and grandiloquent situations, and perhaps close to the nearby tragedy of the sea or the mine: "In the María Luisa mine, seven miners were killed; look, look Maruxina, look, look what a state I'm in".

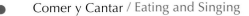

Dancing is also clearly linked to everyday life, perhaps because its origin is ritual. The dances are simple in structure and have a continuous rhythm, and are accompanied by a tambourine or bagpipe and drum. The most important dance, perhaps the oldest of them all, is danced in a ring, with the dancers turning and swaying, perhaps reminiscent of an ancient war dance or, as has also been suggested, in evident allusion to the sacred circle of the Celts. In the pericote, which is a simple dance, the man's movements attempt to win over two young women, who must resist. The corri-corri comes from Cabrales, and has remnants of ancient fertility rites: a man attempts to seduce six women, who reject him, but when he withdraws, they flirt with him, only to reject him again when he returns with his attention. The eternal game of love and seduction before consummation.

No festival in the countryside takes place without a gaita, the Asturian bagpipe, an instrument whose origin is unknown, and which in Asturias was used until it became an essential part of any example of folklore. In fact, the region has one of the few bagpipe museums that exist in the world, and which may be found in Gijón.

The Asturian people are good at eating and singing, and are quick to take part and involve others in these pleasures. All meetings of friends do one of the two or, almost always, both. And, if you think about it, there is nothing better than a table and a conversation with friends to finish off a visit to any land, especially this complex and at the same time simple Asturias, with its taste of cooking and smell of sea, imposing in its nature, transcendental in its history and charming in its people.

La materia prima de los grandes platos asturianos es de una excepcional calidad (arriba).
La fabada es el plato asturiano por excelencia. Plato de origen campesino, que se ha ido depurando, tanto en la calidad de sus ingredientes como en el cocinado, hasta llegar a ser esa apetitosa oferta que es hoy (derecha).

The raw material used in the wonderful Asturian dishes is of exceptional quality (above).
Fabada (haricot bean stew) is the Asturian dish par excellence. It is a dish of peasant origin, which has been improved with regard to both its ingredients and the way in which it is cooked, to become the appetising dish offered today (right).

Izquierda, los guisos marineros constituyen otro de los puntos fuertes de la gastronomía asturiana: calderetas, zarzuelas, caldeiradas, *patatines* con pulpo y un sinfín de combinaciones. En esta página, feria gastronómica en La Foz de Morcín.

Left, seafood dishes constitute another strongpoint of Asturian gastronomy: stews, casseroles, soups, potatoes with octopus and an endless array of combinations. This page: the gastronomic fair in La Foz de Morcín.

En las riberas del Narcea se cultivan unos caldos que, dentro de su modesta producción, se están abriendo paso cada vez con mayor fuerza.

On the banks of the Narcea, a wine is being grown and, although its production is modest, it is growing in popularity.

Asturias es la región con mayor diversidad de quesos. El más conocido es el de Cabrales: madurado, de sabor fuerte, algo picante y mantecoso al paladar.

Asturias is the region that boasts the widest variety of cheeses. The most famous is Cabrales, with its strong, somewhat hot taste and buttery texture.

El arroz con leche es el postre ideal –por tradicional– de cualquier comida típicamente asturiana.

Rice pudding is traditionally the ideal dessert for any typical Asturian dish.

Y la sidra, la bebida de Asturias. Fresca, saltarina, alegre, un punto ácida y con una modesta graduación alcohólica, escanciada desde lo alto y servida con esa medida no reglamentada que es el *culín*. Asturias le ha dedicado un gran museo en Nava.

And cider, the drink of Asturias. Fresh, bubbly, merry, a little acid and alcoholically not strong, poured from a height and served in the non-regulated measure known as a culín *(glass bottom). Asturias has given it a grand museum in Nava.*

Comer y Cantar / Eating and Singing

La gaita y el tambor acompañan las canciones y los bailes asturianos. No puede haber romería ni fiesta mayor sin su sonido, marcado siempre por el ritmo de los palillos. También a la gaita le ha dedicado Asturias un museo, en Gijón.

The pipes and drum accompany the songs and dances of Asturias. No major festival or parade takes place without their sound, with the rhythm set by the sound of the sticks. Asturias has also given the pipes their very own museum, in Gijón.

Arriba, fiesta en La Foz de Morcín.

Above, a festival in La Foz de Morcín.

Derecha: la playa de Candás se convierte durante las fiestas patronales en una plaza de toros, aprovechando la marea baja para formar lo que es, sin duda, el coso más original del mundo.

Right: during the festivals on the feast day of the patron saint, the beach of Candás is turned into a bullring, with advantage being taken of the low tide to form what is undoubtedly one of the most original bullrings in the world.

A lo largo de todo el año, pero especialmente durante la temporada estival, las fiestas populares se suceden por toda la geografía asturiana. Fiestas marineras, como las de Luarca (página de al lado) o ligadas a sentimientos evocadores, como el Día de América en Asturias en Oviedo (izquierda), fiestas religiosas, como tantas y tantas, o profanas, como la de los Huevos Pintos, en Pola de Siero, o la Semana Negra de Gijón. En la mayoría de ellas se danzan los bailes tradicionales, como el pericote de Llanes (abajo).

Throughout the year, but especially during summer, the popular festivals follow on one after the other all over Asturias. Seafaring festivals, such as those of Luarca (opposite page), or festivals that are linked to nostalgic sentiment, such as the Day of America in Asturias, in Oviedo (left), religious festivals, of which there are a great number, or pagan festivals, such as those of Los Huevos Pintos *(Painted Eggs), in Pola de Siero or the* Semana Negra *(Black Week) in Gijón. In most of them, traditional dances are performed, such as the* pericote *in Llanes (below).*

ÍNDICE
Index

Índice / Index